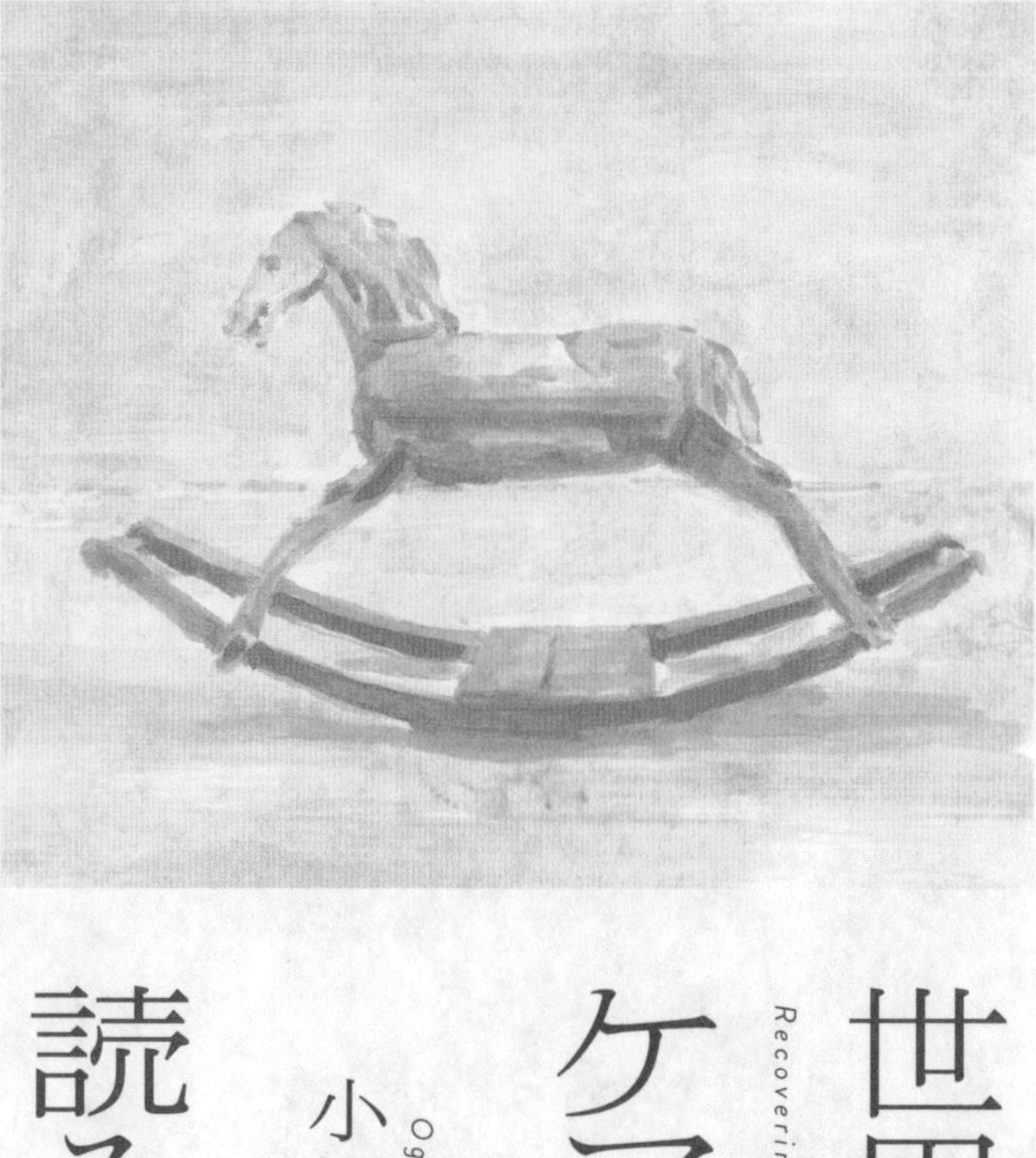

世界文学をケアで読み解く

Recovering Care in World Literature

小川公代

Ogawa Kimiyo

朝日新聞出版

世界文学をケアで読み解く　目次

第四章 〈有害な男らしさ《トキシック・マスキュリニティ》〉に抗する文学を読む 129

第五章 死者《ビラヴド》の魂に思いを馳せる――想像力のいつくしみ 169

世界文学をケアで読み解く

今こそ〈ケアの倫理〉について考える——序論にかえて

1　シャーロット・ブロンテの場合

『ジェイン・エア』の作者シャーロット・ブロンテ（Charlotte Brontë, 1816～1855）は、時間をかけて考えた物語を実際に「坐って書き記す暇を得られるように、家事や子の義務を果たそうと大いに気を遣っ」ていたそうだ。なぜなら家事や家族の世話というケア実践のために、小説は「毎日書ける訳ではなく、時には何週間も、あるいは何か月も経って初めて、物語のすでに書かれた部分に何かを付け加える」ことが多かったからだ。彼女の友人のギャスケル夫人は、シャーロットがいかに家庭内の義務を気にかけていたかを覚えており、それを評伝に綴っている。シャーロットは、どれほど執筆にとり憑《つ》かれた状態になっていても、「彼女が何かしなければならないことがあったり、また他の人から助けを求められた時は決して一瞬の間もそれを無視したことはない」と周りの人々がはっきり証言したという。[1] 昨年ギャスケル夫人の『シャーロット・ブロンテの生涯』を読む機会があって、シャーロットの実人生と彼女が描いたヒロインの生き様との間にある乖離《かいり》に驚かされた。自律したヒロイン「ジェイン・エア」とシャーロット自身の「家庭の天使」ぶりがあまりにかけ離れて見えるからだ。

他の人から助けを求められた時は「無視しない」というシャーロットのケア精神をどのように評価すべきなのだろうか。他者の要求に振り回されない、自律心や独自の立場を確立することが「フェミニズム」なのではないかと、大学生の頃の私はそう考えていた。しかし私自身も博士課程に在籍しながら結婚をし、最初の数年間は夫が生活費を稼いでいたこともあり、肩身の狭い思いをするとはどういうことかを痛いほど知っている。学費のための奨学金は獲得していたが、それでも家事や家庭の雑事をこなす責任は私に降りかかってきた。当時、夫がマレーシアに転勤になった関係で、駐在妻の経験もした。本を読むより、あるいは論文を書くより、駐在妻の慣習的な責務を果たさなければならない。家事をこなさなくてはならない。こういう経験をした後だから、シャーロットが家庭で父親の「子」として、あるいは結婚してからは「妻」として抱えていた葛藤や苦労がよく分かる。

また、アメリカの心理学者キャロル・ギリガン（Carol Gilligan, 1936–）の〈ケアの倫理〉について熟考を重ねたことで、他者を「ケア」することと自己を他者から「分離」することとの間で葛藤していたであろうシャーロットの内面を想像することができるようになった。ギリガンが強調したように、人間は「自律モデル」か「依存モデル」かいずれかひとつで言い表されるほど単純な生き物ではない。とりわけ家事全般を担いながら、外で働こうとする女性にとっては、より複雑なモデルが必要だ。家族を養うために、年老いた父親を支え稼がなくてはならない責任を背負う長姉シャーロットも、家庭内における義務に目配りをするケア実践者シャーロットもいずれも彼女の本当の姿なのだ。

従来の発達心理学では、青年期における発達の指標は「分離や独り立ち」[2]、あるいは明晰な自己感覚（同、三七頁）であり、少なくともローレンス・コールバーグやジークムント・フロイトらが前提とする発達心理学モデルにおいて、成熟することは「個」が自律して判断力を養っていくことを意味する。他者の声に耳を傾けてしまうシャーロットの態度は「分離」する自己とは対照をなす。しかし、「個」が他者から切り離されることだけが果たして「成熟」なのだろうか。ギリガンは『もうひとつの声で』（*In a Different Voice:Psychological Theory and Women's Development*）において、従来の発達心理学で前提となるこのような〈正義の倫理〉の対抗原理として〈ケアの倫理〉を打ち立てた。残念ながら、この本が一九八二年に出版されてから〈ケアの倫理〉はあまりに多くの人に誤解され続けた。自己犠牲を助長する倫理であるといった批判が巻き起こったのである。そこでギリガンはこのような誤解を解くために、一九九三年版『もうひとつの声で』に「読者への書簡」を収録している。この書簡では、「ひたすら他者のために行動し、他者の言葉に逆らわない女性」、すなわち「女性の善性を象徴する一九世紀の聖像《アイコン》」でもある「家庭の天使」と〈ケアの倫理〉とは必ずしもイコールではないことを明言している。

関係性において口をつぐむことの帰結——無私のふるまいが招き得る難題——を、経験を通して発見したことで、〔現代の〕女性たちは、一種の不滅なものとされていた天使の道徳性の実態を暴きました。〔その実態とは〕つまり、声を放棄し、関係性や責任から身を引いてしまうことなのです。天使の声は、女性の肉体を通して語るヴィクトリア朝の男性の声なのです。文筆活動を始めるならこの天使をねじ伏せなければならないとヴァージニア・ウルフが悟ったことによって、自分自身を弁護するためには、女性たちは偽りの自分たちの声を黙らせる必要があることが明らかになりました。（『もうひとつの声で』、一三〜一四頁）

ギリガンは「天使の声は、女性の肉体を通して語るヴィクトリア朝の男性の声」であることを暴露し、女性たちがなぜ自分の「声」を放棄し、代わりに実は「男性の声」である「天使の声」に従ってしまうのか、そのカラクリを明らかにしたといえる。ギリガンは、女性たちの声を奪われることが望ましいとは考えていない。それどころか、彼女たちの「声を解き放」つこと、すなわち彼女たちが「もうひとつの声」で語り始めることに関心があったことを改めて訴えているのだ（同、一四頁）。

2　ケアの価値とは何か

政治学者の岡野八代は、ケアする者とされる者の依存関係には「まったく軋轢《あつれき》がない一体的な関係」が前提とされがちであるという鋭い指摘をする。社会の側に、ケアをする女性たちもまた「ケア」を必要としている、あるいはそういう声を発したいのではないかという想像力が圧倒的に足りていないのだ。

そうした一体的な関係性を前提とするケア関係のみを思い描き、かつそれを理想像とすることは、ケアを必要としている多くの者を無視しうる状況を作りだしている。端的にいえば、現実を無視して葛藤のないケア関係を夢見ることは、ケアは家庭内で女性が一身に担うものとして、女性のみに過重な負担を押しつけたうえで、逆に、社会レベルでみれば、ケアを必要とする者を放置する状況を作っているのだ。(『フェミニズムの政治学』[3])

二〇二二年に『もうひとつの声で――心理学の理論とケアの倫理』の新訳が刊行され、日本でも岡野八代によるこれまでのケア思想の研究の蓄積が頻繁に新聞で報道されるようになり、また二〇二一年にはケア・コレクティヴ著『ケア宣言――相互依存の政治へ』(岡野八代、冨岡薫、武田宏子訳)も刊行されている。このような刊行ラッシュによっても、ようやく〈ケアの倫理〉が市民権を得るようになってきた。新訳版でギリガンは日本の読者に向けてもメッセージを書いている。そこには、「ケア」という言葉が「女性的」というレッテルを貼られ、「女性的な善良さ」を表すものとして

「無私無欲（selflessness）」であるかのように語られてきたことは、決して彼女自身が意図したことではなかったと主張している。〈ケアの倫理〉の基盤は、他者から自己を分離することではなく、関係性を結ぶことである。「自分の声など存在しないかのように立ち振る舞うこと」は関係性を築くどころか、そこから身を引くことを意味する。すなわち、「自身がケアと気遣いを向ける活動範囲に他者だけでなく自分自身も包摂することは『身勝手』な行為ではなく、むしろそれこそがケアの行為なのだ」とギリガンはいう（『もうひとつの声で』、八〜九頁）。

それでは、執筆する暇を得られるように家族の義務を果たそうと「大いに気を遣った」シャーロットの場合はどうだろうか。考えてみれば、女性が作家になることが白眼視された時代に彼女は生きていた。だからこそ、小説を書いていても周りに非難されまいとして家事などを十全にこなしていたとも考えられる。彼女にとって、小説の執筆を諦めないことがそのまま彼女の「声」になっていたと解釈することができる。ケアがじつは互恵性を帯びることもギリガンは主張する。つまり、「身勝手」なだけでもなく、「無私無欲」というわけでもない。「互恵性によって自律性を守り、自己を考慮に入れることと同じように他者のことも考慮するもの」、それが〈ケアの倫理〉である（同、一二四頁）。

ギリガンは「天使の声は、女性の肉体を通して語るヴィクトリア朝の男性の声」であると述べている。確かに、他者のニーズに応えようとする〈ケアの倫理〉を、家父長／支配者からの強制をそのまま内面化してしまった可哀想な女性が従属を強いられていると解釈することもできるだろう。

しかし自分の利得にならなくても、ケアを善きものとして考え実践することは、自助思想が蔓延《はびこ》る新自由主義的な今の社会において、新しい人間像を創造することに繋がるのではないだろうか。シャーロットの妹で『嵐ヶ丘』の作者として知られているエミリー・ブロンテの生き様はひとつの方向性を示してくれる。

エミリーが息を引き取ったというソファの実物がヨークシャーのハワース牧師館にある。高校時代にイギリスに留学したとき、私は初めて訪れたその牧師館で木の脚と縁取りのある黒革のソファを見た。エミリーは、症状が悪化しても頑《かたく》なに医者の診療を拒み続け、まだ何週間も生き続けるのではと姉のシャーロットが思うくらい、気丈にも死ぬ間際まで通常通りの日課を続けたのだった。亡くなった日、エミリーは、動けない体を無理やり動かし、二階から降りてきたのだった。十二月の寒い季節だった。

ベッドで死ねばよかったのに……。

富岡多恵子とヨークシャーを訪れた河野多恵子は、このように率直に語っている。[4] 富岡と河野の旅行記『嵐ヶ丘ふたり旅』を読んだのは、ずいぶん前になるが、「ベッドで死ねばよかったのに……」というこの一節に出会ったとき、心の奥深いところに、エミリーがなぜソファで息を引き取ったのかがひっかかった。そのまま思い出すこともなかったのだが、ギャスケル夫人がエミリーのケア実践について触れる箇所を読んで、ケアの本質を見た気がした。

エミリーは、実は、「料理の主な部分を引き受け、家族のアイロンかけを全部」担当していた。長年勤めた使用人のタビィが老衰してからは、彼女が家族のパンを全部作っていた。勉強がどれほど面白くても、パン作りに失敗することはなかったエミリーの作るパンは「いつもふんわりとして素晴らしかった」のだそうだ（『シャーロット・ブロンテの生涯』、一四二頁）。もしかすると、エミリーが亡くなった日、二階からよろめきながら降りたのも、家族のパンを作るためだったのかもしれない。シャーロットは死にゆくエミリーの尊厳のために、手を貸すべきかどうか迷ったに違いない。

エミリーがなぜそのような死を迎えたのか誰にも分からない。家族であるシャーロットにさえ理解できなかっただろう。そう考えると、「家族が『一体不可分の場所』であるどころか、異なる時空を生きる他者たちが壁を抱え込み、だからこそ、なんとか『ことば』を交わそうとする場である」という岡野の言葉はケアの本質を捉えている（『フェミニズムの政治学』、二四一頁）。そして、続けて「記憶や言葉を失っていく」（同前）母親の介護と格闘していた落合恵子の例を挙げている。「母のためにと新しい家に引っ越したことが、病状を悪化させてしまい、『もう少し母と丁寧につきあっていたら』という後悔から抜け出せないでいる娘。『やり場のない悔いに自分を責めるしかないわたしの頭を、トイレに座った母が、それはそれは優しく撫でてくれる』」（同、二四〇頁）。もちろん、言葉を交わそうとしても通じ合わないこともある。しかし、「じっと待つこと、分かりあえない状態から、予期し得ない形で他者の尊厳に気づかされる時が到来することを、そうした受け止めからわたしたちは学んでいく」（同、二四一頁）と岡野はいう。「〈わたし〉のために生きているわけではない他者が、それでもなお、〈わたし〉を愛してくれた」（同前）。その記憶こそ尊い。

近代市民社会の理想としての自律的な主体に、葛藤のなかでケアする主体は必ずしもあてはまらない。そう考えると、いかに近代が男性中心主義であり続けてきたかが分かる。ギリガンによれば、多くの女性たちは人間関係や他者のニーズを重視し、いろいろな関係性のなかで自分の態度を選びとろうとする。そして、このような〈ケアの倫理〉を実践するのは女性だけにかぎらない。

3　子育て・介護をする男たち

近年、家事や育児を積極的に担うことが男性の望ましいあり方になりつつある。日本でいうと、メンズリブ運動の嚆矢《こうし》でもある一九七八年結成の「男の子育てを考える会」は男性が育児をすることが出発点であるが、英文学者の河野真太郎によれば、これは「第二波フェミニズムが、女性が無償の家事労働やケア労働（「再生産労働」とも呼ばれます）を圧倒的に受け持たされている状況を問題にしたことへの応答」であった（『新しい声を聞くぼくたち』[5]）。他方で、家族を養うことのできる経済力を持つことが「一人前」であると期待される旧来的な考えはまだ根強い。河野は一九九一年に発足した「メンズリブ研究会」は、「男性が『男らしさ』の規範によって傷つけられている、その被抑圧者性・被害者性を強調し」、男性が「規範とそれを押しつける構造に苦しんでいる存在として見る立場」が浮かび上がるという（同、五一～五二頁）。

二〇一九年にリリースされたアメリカの映画『ジョーカー』（トッド・フィリップス監督）では、派遣ピエロとして働きながら、年老いた母親を介護する息子アーサーが自分の能力を発揮することができず、一人前になれないことで社会の「規範」に苦しめられる「弱者男性」として描かれている。[6] アーサーは、不随意の笑いを止められないという障害のために、コメディアンを夢見るも、それがかなえられない傷を持つ男性なのである。この映画をめぐって、河野は興味深い仮説を立てている。この映画で表象されるのは、「新たな男性主体に対する嫌悪もしくは反感」であり（同、五六頁）、アーサーが及ぶ暴力的な行為は「女性や有色人種などに向かうことは巧みに避けられ」てはいるが、代わりに「資本主義にまみれた富裕層」に向けられることで、この支配層にいる白人男性たちとアーサーが属する「アンダークラス」の間に分断があることが示されている（同、五八頁）。

社会学者の平山亮が『介護する息子たち――男性性の死角とケアのジェンダー分析』で指摘するように、男性学――ジェンダー化された主体としての男性の経験を言語化する学問――の関心の対象となってきた「男性の経験とは、夫か父親としての経験（あるいは、夫や父親になれない経験）であること」が多く、「息子としての男性は、ほとんど取り上げられることがな」かった。[7] そういう意味では、『ジョーカー』は珍しく「介護する息子」の物語であり、そこに埋め込まれた傷と憤懣の捌《は》け口としての暴力が、男性の生きづらさを物語るのである。

平山の研究には、息子介護者たち特有の困難が紹介されている。たとえば、「彼らが『難しい』

と感じているのは、自分の感情を言語化することである」(『介護する息子たち』、一六三頁)。

それは、必ずしも「男らしさ」へのこだわり、つまり「弱音を吐きたくない」ということではない。彼らは、介護が大変であるという自覚はある。だが、そうした自分の内面を他人にどのように伝えればいいのか、言葉にできる自信がないのである。というのも、これまでの人生で「辛い」という感情に目を向け、また、それを言葉で他者に伝える経験をしてこなかったからである。(同前)

平山はこれを「男らしさの病」と呼び、深刻化しているケースでは、「弱音を弱音として同定する訓練をしてこなかった」ばかりに、その「追い詰められた内面」は、「非言語的な『暴発』となって現れるしかない」(同、一六四頁)。『ジョーカー』が公開される二年前に書かれたにしては、奇妙なほどこの映画の筋書きを先取りするような言葉である。

平山が男性学の議論に希薄であると感じるのは、「関係という視点」である(同、二四一頁)。「年収が限られた層においては、自分が一家の稼得者になることにこだわらないでいる男性ほど、パートナーシップを築きやすくなっていることが窺える」(同前)。反対に、「社会経済的に有力な男性ほど、家庭での稼得役割にこだわり」(同、二四二頁)、その配偶者の女性も「結婚後は夫は外で働き、妻は主婦業に専念すべきだ」といった旧来の価値観にとらわれている(同、二四三頁)。子育てのために仕事を辞めて家庭に入り、経済的に不利な立場に追い込まれる女性が稼得役割にこだわる男性とどのような関係性が築けるのか。これは覇権的な地位を保有する男性こそ考えなければならないと平山はいう。すなわち、「重要なのは、夫婦の稼得役割に固執することが女性への支配の志向に他ならないことを直視して、既存の構造のもとで女性が男性に従属的な地位に置かれうるあらゆる可能性を、男性の側が慎重に回避・排除していくことである」。それがなければジェンダー関係の変革に繋がらないだろう（同、二四三頁）。

「男性性」を「新たな男性性」へと変換していくプロセスはどのようにたどるべきか。あるいは、社会全体がケアの価値を承認するにはどうすればよいのか。河野は、ケアする社会を想像しているが、その方向に向かって「社会が変わるためには個人が変わらなければならない。しかし、個人が変わるためには社会が変わっていなくてはならない」という（『新しい声を聞くぼくたち』、三三四頁）。この紐帯として機能するのが「文化」であり、「あらゆる男性が共有できる『文化』にする必要があります」とも述べている（同前）。つまり、生きづらさを感じているアーサーのようなアンダークラスに属する人たちにも、また覇権的な地位を保有する人たちにも、「文化」に触れる機会が等しくあることが期待されている。

女性が支配されない水平の「関係性」をどのように築いていくかという平山が掲げた課題は、三十年以上前にギリガンが〈ケアの倫理〉を導入することで、すでに言語化されていた。そして、ケア役割分担をめぐる難しい問題――女性が内面化してしまう「家庭の天使」の問題――は、女性だけでは解決できるものではないだろう。女性も男性もケア実践を、そして生命をいつくしむ大切な営為を、共事的に行っていく物語がその文化を築いていくことに繋がるのではないだろうか。地域活動家の小松理虔《りけん》は「共事性」という言葉を導入している。小松によれば、震災の被災者でない人間は当事者本人ではないが、「事を共にする者」つまり共事者にはなれる（『新復興論 増補版』[8]）。「むしろ当事者の外側にいる人たちがゆるっと参画できるような場も肯定的に捉えられたらいい」（同、四四一～四四二頁）と「共事性」について述べている。同様のことがケア実践にもいえるのではないか。今は子育てや家事を担う多くの女性たちが「当事者」的立場にある。しかし、男女どちらかがケア実践の当事者であるという固定化を回避し、女性も男性も「共事者」として関わっていくというビジョンがあるといい。

幸いこのようなケアをめぐる物語や男性性についての物語は、世界中の文学作品に見出すことができる。私も文学研究者の端くれとして、「個人」と「社会」の両方が変容するための、その紐帯として機能する「文化」が文学や映画の豊かな土壌に埋まっていることを確認したい。優れた文学作品の数はあまりに膨大なため、そのごく一部に限られてしまうが、本書で少しでも紹介できればと思う。

第一章　現代人が失いつつあるものとしての〈ケア〉——思想史

1　強者から弱者へ——『ドライブ・マイ・カー』、アントン・チェーホフ『ワーニャ伯父さん』

ワーニャ伯父さん、生きていきましょう。長い長い日々を、長い夜を生き抜きましょう。運命が送ってよこす試練にじっと耐えるの。安らぎはないかもしれないけれど、ほかの人のために、今も、年を取ってからも働きましょう。そしてあたしたちの最期がきたら、おとなしく死んでゆきましょう。そしてあの世で申し上げるの、あたしたちは苦しみましたって、涙を流しましたって、つらかったたって。[1]

これはアントン・チェーホフ（Антон Павлович Чехов, 1860–1904）による『ワーニャ伯父さん』（Дядя Ваня, 1899–1900）の劇の最後でソーニャがいう台詞《せりふ》である。主人公のワーニャは、彼の義理の弟である学者に心酔して、彼の領地の経営にいそしんできた中年男性である。実はこの弟が退職、領地を手放すことが提案され、ワーニャは長い間献身的に働いてきた気持ちを踏みにじられたように感じて激昂《げっこう》し、絶望する。そのときに、彼と一緒に働いてきたソーニャが優しく慰めるのだ。彼女自身も実は失恋して傷ついているのだが、それをこらえつつ。この戯曲でもチェーホフ作品に通底するモチーフ、「絶望」から「忍耐」、そしてかろうじて「救い」が提示されている。人はそれぞれの立場に立って世界を体験し、その生きづらさに耐えながら、なんの光明もない「今」を生き続けるためにもがき苦しむことがある。

この『ワーニャ伯父さん』のモチーフを響かせる村上春樹による短編「ドライブ・マイ・カー」を、監督の濱口竜介と大江崇允が脚本を書いて映画化した。映画『ドライブ・マイ・カー』は二〇二一年の第七四回カンヌ国際映画祭のコンペティション部門に出品され、脚本賞のほか国際映画批評家連盟賞など四冠を達成した。この作品が世界中で話題を呼んだことからも、「生きづらさ」を乗り越えるためのケア文学に関心が集まっているという実感がある。主人公の家福《かふく》悠介は俳優で、妻を病で亡くし、その喪失感を抱えている。また、妻が数名の男性と不倫していたと知っていたことから、未だにわだかまりがある。片目が緑内障に罹《かか》ってしまい、車は専属運転手の渡利《わたり》みさきが担当することになる。基本的には、この原作のプロットに沿って映画化されているが、舞台は東京から広島に移され、そこで開催される演劇祭に家福が『ワーニャ伯父さん』の演出家として招かれる。そして、主催者側が手配したドライバーの渡利みさきが家福の車を運転するようになる。みさきはどこか捉えどころのない、無口で笑顔のない人物なのだが、幼い頃に母親に深く傷つけられていた。

原作、映画のいずれにも描かれるのは、男と女のそれぞれの苦悩である。原作では、家福の妻は癌を患い、最期はやつれ衰えて亡くなるというプロセスが印象深いのだが、映画では、妻の音はくも膜下出血のために彼が帰宅する数時間前にことされている。それによって、もっと早く帰宅していれば音の命は救えたかもしれないという家福の罪の意識や苦しみが増している。そして、音が別の男性と関係を持ったことを理解できずに苦悩していたが、彼女にその事実を突きつけたことはない。かつて音と恋愛関係にあった高槻《たかつき》という俳優と会って、彼女に関する記憶を共有するだけだ。彼はその当惑の感情を、抑圧し続けた。演じることが仕事であるということ以外に、彼と音の間には、三日間だけ生きてすぐに死んでしまった娘がいたこと（映画では、娘が幼くして亡くなる設定）も関係しているだろう。二人は娘を喪い、深い哀しみを経験していた。男も女もそれぞれの運命を粛々と受けとめ、悲痛さに耐えるしかない孤独が描き出されている点で、チェーホフの作品と共鳴している。

村上春樹の「ドライブ・マイ・カー」では、ケアを必要としている男が近代西洋的な「強い自己」を背負うあまり、その苦悩を他人と――家族とさえ――なかなか分かち合えない。それが象徴的に現れるのが、家福が誰にも運転席を譲ろうとしない姿勢だ。

その車を新車で購入したとき、妻はまだ存命だった。ボディーカラーの黄色は彼女が選んだものだ。最初の数年間はよく二人でドライブをした。妻は運転をしなかったので、ハンドルを握るのはいつも家福の役だった。（「ドライブ・マイ・カー」[2]）

また映画でも（回想シーンを除いて）、基本的に家福ひとりが乗車する。仕事に向かう車のなかは、彼が役の台詞を覚えるための独占的な、男性的空間でもあった。彼が当初、みさきだけでなく音に自分の心をすっかり明け渡さなかった原因の一端には、女性に大切な何かを託することはできないという家父長的なステレオタイプ、あるいはマッチョな文化があるのだろう。

このような男らしさに毒された家福が最終的には女性のドライバーが運転する車に身も心も委ねられるようになる。この変容ぶりは、また別の文学作品を彷彿《ほうふつ》とさせる。ウィリアム・シェイクスピア（William Shakespeare, 1564–1616）による悲劇『リア王』（*King Lear*, 1605）である。訳者の松岡和子はこの戯曲を「歓ばしい悲劇なのだ」と言い切ったが、英文学者の河合祥一郎はその矛盾について、それはリアが不幸の極限状態で「束の間見出した愛の世界は計り知れないほど大きい」からだと説明する。[3] リアは実の子たちに欺かれ、最愛の末娘コーディリアを勘当してしまったが、最後はその娘に助けられる。人生のどん底でコーディリアの愛を知った後、リアは絶命する。アメリカの医療人類学者アーサー・クラインマン（Arthur Kleinman, 1941–）は、この脱男性性のリア王の物語を、かつて「とても野心的で、自己中心的であった」――要するにマッチョだった――パデイ・エスポジトという男性の変貌ぶりになぞらえて紹介している。パディは、進行性の心筋炎と診断されると、大学を中退し、仏教思想に関心があったことから、インドやネパールを旅してまわり、三年間アジアで過ごした。彼は「自己拡大的で非人格化した自己イメージ」には無関心になり、政治的野心や社会的地位について尋ねられると、「冗談でも言うように」それらが「愛や幸福とは無関係であるという、リア王がコーディーリアに語った言葉を引用」したという（クラインマン『病いの語り』[4]）。

リア　いや、いや、いや、いや！　牢へ行こう。
二人きりで、籠の鳥のように歌を歌おう。
お前が祝福を求めれば、私は跪《ひざまず》き
お前に許しを乞う。そんなふうに生きていこう。（『シェイクスピア全集5　リア王』[5]）

リアにとっては牢獄は自分の身にふりかかる娘たちの裏切りであり、パディにとってはそれが自分の生命を脅かしている心筋炎という「病気」だったが、それが必ずしも不幸ではなかった。アメリカに帰国してからパディの「健康はひどく悪化していたが、彼の適切な表現によれば『私はずっとよくなった』」（『病いの語り』、一八五頁）のだという。「行動を制限し、重篤な症状をひき起こし、ついには一九七六年に彼を死に導いたかなりひどい障害があったにもかかわらず、パディはほとんどそれをものともしなかった」(同、一八四頁)。

　クラインマンはパディについて次のように述べている。「ひとは、病気の状態であっても、生き生きと元気で、幸福でありうる」(同、三五六頁)。「疾患それ自体がその活気や幸福の一部でさえありうる」とクラインマンはいう。もしかすると、家福が娘と妻の死という不幸を経験したとき、そこには彼にとっての「牢獄」があったのかもしれない。リアがコーディリアと再会し、幸福を見出したように、家福もみさきとの対話を通じて同じような「牢獄」を再発見したのだろう。本来、ネガティヴな意味しかない「牢獄」を幸福の状態と結びつけるシェイクスピアのこの作品は示唆《しさ》に富んでいる。

　映画『ドライブ・マイ・カー』の家福もまた娘と妻を喪い、片目は緑内障に罹っているが、そのおかげでともに苦しみを分かち合うことのできるドライバーのみさきと出会えるのだ。妻が吹き込んでくれた『ワーニャ伯父さん』の台詞を車のなかで聴きながら、彼が今いる人生の「どん底」(＝牢獄)の状況を反芻《はんすう》しているように見える。そんなときに出会ったのが、演劇祭で家福とともにスタッフとして活躍する韓国人の男性コン・ユンスとオーディションで選ばれる韓国人のろう者のイ・ユナである。舞台に出演する演者にも多国籍の人が多い。この映画では、人はなかなか互いのことを分かり合えないという問題が前景化されている。それが障害を持つ人(ろう者)と健常者、あるいは異なる言語や文化の間に介在する〝壁〟として立ち現れてくるが、彼らはそれを物ともせず必死に互いを理解しようと努める。妻とは核心に触れる事柄について話すことを避けていた家福も、彼らの素直さに触れることで、次第に心を開いていく。

2　苦悩する魂――オスカー・ワイルド『獄中記』「幸福な王子」

今なぜこのようなケア文学、あるいはケア映画が広く受容されるようになったのだろうか。リアが人生のどん底で発見する幸福について考えたとき、真っ先に思い浮かぶのが、イギリスの作家、戯曲家のオスカー・ワイルド（Oscar Wilde, 1854–1900）である。彼は獄中で恋人だったアルフレッド・ダグラス卿に宛てて書簡を綴り、それが後に『獄中記』（*De Profundis*, 1905）として発表された。彼は刑務所に入ってから、物の豊かさを競い合うブルジョワ社会の価値観を脱したと感じるのだ。その俗物的な価値観から逃れて初めて、真の魂が自由に躍動できると考えた。「死ぬまでに『魂を獲得する』ことのできる人間がこんなにも少ししかいないというのは悲劇である」と述べていることからも、ワイルド自身、それがいかに困難か痛感していたことが分かる（『オスカー・ワイルド書簡集　新編獄中記』[6]）。

ワイルドの『獄中記』は近年熱い関心を呼んでいるが、文学とセクシュアル・マイノリティについて考えるにはこれほど有益な書はないだろう。二〇二〇年に刊行されたばかりの『オスカー・ワイルド書簡集　新編獄中記――悲哀の道化師の物語』はワイルドの人生の暗部を照らし出した「小説仕立ての評伝」としても読めるため（『新編獄中記』、編訳者まえがき）、ＬＧＢＴをめぐる社会問題に関心のある一般読者にとって必読書ともいえる。『獄中記』ほど知られていないが重要なのが、ワイルドの「社会主義下の人間の魂」（*The Soul of Man Under Socialism*, 1891）というエッセイである。ここでワイルドは「苦悩する魂」について明晰に論じている。私有財産制が基盤となり、物質的には豊かな社会では、人間は多くのものを持っているがゆえに偉大であるという欺瞞《ぎまん》に陥ってしまい、それによって「真」の個人主義は押し潰されるという議論である。

おまえの完成はおまえの内にあるのだ。それが自覚できさえすれば、金持ちになろうなどとは思わないだろう。普通の富なら人から盗める。真の富はできない。おまえの魂という宝庫には、おまえから奪えない限りなく尊いものがある。だから外的なものに害されぬようおまえの生活を築くようにするのだ。そしてまた私有財産を除くようつとめるのだ。（「社会主義下の人間の魂」[7]）

これに続けてワイルドは、「害」となる外的なもののなかに「卑しい商売熱心」「無限の勤労」「悪事の連続」を含めている（同、三二七頁）。ワーニャは二十五年も尽くしてきた義理の弟が退職した後、何もできないと悲観している。「何をして、何でこの歳月を埋めればいいんだ？（中略）分かるよね、残りの人生を新たに生き直せたらなあ[8]」。しかし、ワイルドの視点からすれば、ワーニャには「苦悩する魂」があり、それこそに価値が与えられるべきということになろう。

耽美主義者として知られるワイルドの「美」の観念が、その先入観のせいで誤解されてきたことは作品を読めば分かる。ワイルドが「幸福な王子」(*The Happy Prince*, 1888)で描いた金箔に包まれた彫像は決して外見的な「美」を具現しているのではない。ワイルドが恋人のダグラスに贈ったカフスボタンの「美」もその物自体に内在しているのではなく、二人の友情、あるいは互いへの「ケア」にあった。つまり、「美」は観念ではなく他者の「生」に関わり合うという実践でもある。主人公の「幸福な王子」は、実は人間の生まれ変わりである。贅《ぜい》を尽くした生活を送った後に死を迎え、その後、目や剣の柄にはサファイアやルビーといった宝石がはめ込まれ、純金で覆われた彫像としての生を与えられる。この彫像が町を一望できるところに立てられたため、「この町の醜さやみじめさがすっかり見えてしまうんだ。ぼくの心臓は鉛でできているけれど、やはり泣かずにはいられなくてね」(「幸福な王子」[9])という心境の変化を体験する。「幸福な王子」の一度目の「死」は、現世利益的な卑俗さから抜け出し、真の魂を手に入れる彫像の「新たな生」を意味する。皮肉にも、数年を経て、ワイルド自身が獄中で、これとまるで同じ価値観を唱えることになる。

「物の奴隷になり下がるために自由を浪費する者らや、柔らかな衣服に身を包み王の住処に住む者ら」に対して、彼は憐みを感じていた。キリストが「『汝の持てるものすべてを売り払い、その金を貧しい者に施しなさい』と言った際、キリストの頭にあったのは貧しい者の状態ではなく、若者の魂のことだった」(『新編獄中記』、一八一頁)。

実質すべての財産を奪われる形で投獄されたワイルドは、この「若者の魂」を自分の「魂」に重ねていたのだろう。そして、「社会主義下の人間の魂」の一節を思い返していたのではないだろうか。それは「イエスが貧しき者について語るときかれはただ個性のことをいっているのである」という言葉である（「社会主義下の人間の魂」、三一六頁）。獄中のワイルドは、世間が価値を置くような卑俗なものを持たなくても、「個性」があれば、俗物的なものや評判に振り回されることはないという「社会主義下の人間の魂」の信念を呼び起こしている。「誰かに悪口をいわれても、口答えすべきではない。それに何の意味があるのだ？」と問いかけている。ワイルドにとって、個人主義者とは「あるがまま」でいることができ、「世論などというものはいささかの価値もない」と思える人間のことだ（同、三一七頁）。

『ドライブ・マイ・カー』の家福にしても、『リア王』のリアやクラインマンが語るパディにしても、そして獄中のワイルドにしても、徹底的な弱さや不幸を経験することに光が当てられている。またパディは疾患を抱えながらも臨死患者のカウンセラーになったが、それはあくまで「他人の役に立ち、自分が見出した平安と知恵を他のひとにもたらす」ためであった（クラインマン『病いの語り』、一八五頁）。彼は「資本」や経済的な打算のためにケアを提供しているわけではない。自分のために、という利己的な目的が失効するところに、人間らしいケアがある。新自由主義的な社会で、競争を強いられ、保身や利潤のために日々精神をすり減らしているような人々が、このような文学に触れるとき、まさに砂漠のなかにオアシスを見つけたような気持ちになる。

3　ケア思想――カール・マルクス、マックス・ヴェーバー、ミシェル・フーコー

今ではほとんどのモノやサービスが市場価値を持つ。ケアも例外ではない。〈ケアの倫理〉論者であるジョアン・トロント（Joan Claire Tronto, 1952–）がイギリスのテレビドラマ『ダウントン・アビー』（Downton Abbey, 2010–2015）を例に挙げているのはまさに慧眼《けいがん》である。舞台は一九一二年から一九二五年のイギリス、ヨークシャーの架空のカントリー・ハウス「ダウントン・アビー」で繰り広げられる物語。グランサム伯爵クローリー家とそこで働く使用人たちの生活を描いている。かつてはイギリスの貴族階級が多くの使用人を従えていたように、今では「富裕層」は誰かに労働の対価を払ってケアしてもらうことができる。つまり、ケアは「愛するひとから感謝の愛撫を受け取ったりするといった、幸せなときばかりに満ちたもの」というわけでは必ずしもないのだ（「ケアするのは誰か？」[10]）。みさきが家福に対して行うケアもまた新自由主義的な文脈や階級の序列関係を踏まえると、より複雑な構造が見えてくるだろう。

ケアの問題を解きほぐすために参照できるのが、経済思想家の斎藤幸平の『人新世《ひとしんせい》の「資本論」』である。今の新自由主義的な風潮では、売れればなんだって構わないという資本の価値増殖を優先しすぎる「交換価値」至上主義が横行し、ケア実践を含む「使用価値」（人の役に立つという有用性）を犠牲にしてしまっている。ケア労働の「交換価値」が低いために、人々のケアに対する評価

も下がっているのではないだろうか。資本蓄積と経済成長を主眼とする資本主義社会では、「感情労働」であるケア労働は、労働集約的であるため、生産性が「低く」、高コストと見なされがちである。人類学者のデヴィッド・グレーバーや斎藤幸平によれば、「『使用価値』をほとんど生み出さないような労働が高給のため、そちらに人が集まってしまっている」。反対に、社会の再生産に不可欠な「エッセンシャル・ワーク」は使用価値が高いものを生み出す労働であるにもかかわらず、「低賃金で、恒常的な人手不足になっている」(『人新世の「資本論」』[11])。

ケア労働は社会的に有用なだけでなく、低炭素で、低資源使用なのだ。経済成長を至上目的にしないなら、男性中心型の製造業重視から脱却し、労働集約型のケア労働を重視する道が開ける。(同、三一六頁)

真に有用なケア労働がもっと評価される社会になるにはどうすればよいのか、今の市場原理至上主義の状況を打開するために心を砕いているのは、斎藤や『ショック・ドクトリン』の著者ナオミ・クラインのような二十一世紀の優れた書き手だけではない。何が有用で、何が有用ではないという基準が「資本」や「経済」に縮約されてしまう状況に疑問を投げかけてきた思想家はこれまでにもいた。カール・マルクス、マックス・ヴェーバー、そしてミシェル・フーコーである。

育児、介護、看護などのケアは尊い営為である。しかし、資本主義社会において、家庭内の労働と見なされるケアは、経済的な価値によって評価されない。ケアを、「善きもの」として評価した上で、ケアが新自由主義的な、あるいは資本主義のシステムのなかに組み込まれるときに、さまざまな問題を孕んでしまうことを批判的に捉えることも重要である。カール・マルクス（Karl Marx, 1818–1883）の思想にはケアの精神が内在している。筆者がそのことに気づいたのはごく最近である。イギリスの学部時代に政治・社会学を学んだが、忘れもしない第一回目の講義で教授が引用したのが、マルクスとエンゲルス共著の『ドイツ・イデオロギー』（*Die deutsche Ideologie*, 1846）であった。

私は今日はこれを、明日はあれをし、朝は狩をし、午後は漁をし、夕方には家畜を追い、そして食後には批判をする――猟師、漁夫、牧人あるいは批判家になることなく、私の好きなようにそうすることができるようになるのである。[12]

今読み返してみても、このようなマルクスとエンゲルスの労働観は新鮮である。もちろん資本主義下で、猟師、漁夫、牧人、批判家のすべてになることは難しいが、「批判家」であり続けることはできるだろう。アメリカの思想家フレデリック・ジェイムスンが、産業化、大量生産の文化が広がるなかで「知的労働」を貶《おとし》めることへの警告を発していたことを思い出す。[13]

ハンナ・アーレントもまた能動的に思考することの重要性を主張した哲学者である。彼女は、人々が自分と向き合う自由な時間である「オチウム」（＝暇）という概念をまず中心に置いていたが、それは真理を追究する価値ある時間であり、仕方なくやるという消極的な態度で臨むものではない。十八〜十九世紀イギリスのロマン派詩人S・T・コウルリッジ（Samuel Taylor Coleridge, 1772–1834）は――もちろんありえないことだが――まるでアーレントの『人間の条件』を読んだかのような示唆に富んだ論考を書いていた。彼は『マンスリー・マガジン』（一七九六年十月発行）という雑誌に「能動的生活に入るための内省」という論考を寄せ、そこには当時彼が実験的に書き始めていた散文に似た「会話詩」について、「革新的な運動」を起こしていくためには、詩だけでなく、内省の「能動的な生」の核心部でもある対話的な散文も重要であると主張した。[14] コウルリッジの時代、すでに産業が肥大化しつつあり、労働や仕事が全人生の大部分を占める生活が支配的になりつつあった。彼の危機感は哲学者の國分功一郎が現代人の労働観や休暇観を問い直す『暇と退屈の倫理学』の議論とも重なり合うだろう。低賃金労働者にとってマルクスのいう「批判家」になるための余暇はどんどん削り取られている上、突然「余暇」なるものが手に入ったとしても、どのように楽しんだり、思索したりすればよいのかトレーニングも必要であるという視点である。これは、暇で孤独な時間こそ価値があると考えていたコウルリッジの内省を通じて行うセルフケアの精神と響き合う議論である。

　マルクスの「食後には批判家」という発想は、われわれの人生に豊かさをもたらすだろう。善き批判家となるため、自己と対話する時間がもうけられているだろうか。あるいは、食後に家族で対話をする時間を意図的に作るという意味であるのかもしれない。ケアする側とケアされる側の間で対話が行われているだろうか。与えられたケアについて感謝の気持ちが伝えられているだろうか。家庭内で、あるいは社会で起こっている出来事について批判的に考え、議論する時間が作れているだろうか。マルクスがケア思想を内包するのは、「交換価値」に対して、「使用価値」は当該財がその使用者に対して有する有用性（ないし絶対的価値）を持つことの重要性を主張するからである。批判精神を育てる時間は、資本主義の「交換価値」では到底測れない。

「使用価値」を理解するために、イギリスの経済史においておそらくきわめて重要となる〈コモン〉の概念について考えてみよう。排他的所有を好む資本家が介在しない原始林、あるいは共同農地などを〈コモン〉と呼ぶ。「交換価値」が発生する前の「使用価値」だけがある状態である。イギリスでは、十六世紀と十八～十九世紀に「囲い込み」（エンクロージャー）が行われ、領主や地主が共同管理がなされていた農地などから農民を強制的に締め出した。それは、農場経営を大規模化して利潤を得るためである。生産手段を失った農民は、賃労働者となり、結果的に人々はその土地から疎外されてしまった。

ロマン派詩人ウィリアム・ワーズワス（William Wordsworth, 1770–1850）は十八世紀の囲い込み政策がもたらした悲劇を目の当たりにした。土地を失った人々の生き様を「マイケル」（Michael, 1800）という長詩のなかで描いている。詩人ワーズワスは、土地に根付く人々に対して謙虚だった。この慎ましさは、「『鋤や鍬を使って激しく息をつく』人々が常に彼らの環境と結ばれて」いるという認識から生まれていた（ジョナサン・ベイト『ロマン派のエコロジー』）[15]。

マックス・ヴェーバー（Max Weber, 1864–1920）による『宗教社会学論集』では、専門分野がますます分化され、合理化されていく現代社会で価値が貶められるケア精神（＝無差別主義的な愛）が、資本主義と西洋におけるプロテスタンティズムとの関連で論じられている。ヴェーバーは『プロテスタンティズムの倫理と資本主義の精神』で、合理性を追求する資本主義の精神の根幹を「プロテスタンティズムの倫理」にさかのぼって見出していたが、『宗教社会学編集』では「われわれの全存在が、専門的訓練をうけた官僚組織の枠組のなかに逃れるすべもなくがんじがらめになってい」る問題を指摘する[16]。

> 救いの宗教にあっては、無差別主義的な慈悲の持主たる達人たちの深くかつ静かな至福感はつねに、自分をも含めて、一切の人間は生まれながらに不完全なものなのだ、という心あたたかい知識と一つに融け合っていた。（「世界宗教の経済倫理　中間考察[17]」、一一二頁）

ヴェーバーの言葉を借りれば「無差別主義的」な愛は、まさに金銭的な「交換価値」では測れないケア精神である。もっとも明白に現れてくるのは「経済」の領域であるが、現世の秩序や価値がそれぞれの固有な法則性にしたがって合理化され昇華されていけばいくだけ、「心あたたかい知識」と融け合っていた精神が次第に分裂、あるいは乖離《かいり》し、元に戻らなくなっていくのだという。

資本主義社会において付加される経済的な価値と実際の有用性は、必ずしもイコールにはならない。家庭内のケア実践などに「交換価値」はないが、「使用価値」という有用性はある。この考え方はまさに〈ケアの倫理〉論者であるジョアン・トロントや岡野八代が目指している「人類の活動」としてのケア実践にも通じる（岡野八代『フェミニズムの政治学』[18]）。ケア思想は必ずしも自由主義を批判しているのではない。問題なのは、新自由主義が、市場や経済を自由にしておくという「見えざる手」に表されるイギリスの哲学者アダム・スミスの伝統的な自由主義とは完全に袂《たもと》をわかってしまったことだ。

十八世紀、ヨーロッパで資本主義がひろまり始めると、労働者を工場に閉じ込めておなじものをたくさん作らせるようになる。資本主義下の新自由主義をたんに「古い経済理論の再活性化」（ブラウン『いかにして民主主義は失われていくのか』[19]）と考えてはならないとミシェル・フーコー（Michel Foucault, 1926–1984）は警鐘を鳴らしている。

伝統的な自由主義的企図との関係において絶対的に重要な変異があります。問題は、ただ単に経済を自由にしておくことではありません。問題は、政治と社会に形式を与える市場経済の力がどこまで拡張されうるのかを知ることです。（『ミシェル・フーコー講義集成8』[20]）

フーコーによれば、新自由主義の特異性は、「社会的なものを経済化する」点にある（ブラウン

『いかにして民主主義は失われていくのか』、六三頁）。労働が分業化されると、人は自分に押し付けられる一定の排他的な活動領域を持つようになり、そこから抜け出せなくなる。フーコーは、そのような社会において個人の身体に働きかけるものとして重要なのは空間であると考えた。たとえば、学校や教会、病院、監獄、工場など、人間の身体をひとつの空間に囲い込み、その行動を監視するシステムが確立するのである。そのような空間のなかで規則的な行動が反復される。このようなシステムに呑み込まれている人間に対する包括的な「ケア」を考えていたのがフーコーといえよう。

ケア精神を置き去りにしたビジネスの資本主義的な精神に傾倒することに反旗を翻《ひるがえ》している思想家、社会学者たちは他にもいる。インドの経済学者、哲学者のアマルティア・セン（Amartya Sen, 1933–）は、「効用」情報への一元化という功利主義を批判している。つまりセンの思想には、物質的な豊かさや人々が満足しているかどうかという観点から人間の幸福を分析しようとする単純化された人間像を排し、新しい人間像を創造しようとする視点がある。セン以前の経済学では、人間は個人的な満足や利得や効用だけを目的に行動するという前提があったが、経済学の分野でも少しずつケアの視点を取り込むような思想が着目されるようになっているのだろう。

人間は自分の利得にならなくても、他人の窮状をみかねて行動することもあるということでいうと、フランスの哲学者メルロ＝ポンティ（Maurice Merleau-Ponty, 1908–1961）やカナダの政治学者チャールズ・テイラー（Charles Taylor, 1931–）らも重要な議論を提供している。心理学には、幼児期に自己と他者が一体化した状態になることを表す「幼児の癒合性」という概念がある。メルロ＝

ポンティは、この自他未分化性を乗り越えたはずの成人が再び他者との混淆状態に投げ込まれ、自他が「癒合」することがあると考えた。それは苦しみを共有したいと思うほどの他者への献身愛が発現するときだという。テイラーによれば、孤立する近代的な自己は、〈緩衝材に覆われた自己〉(buffered self)であり、精神の外部にあるすべてのものから自分自身を分離することが可能であると見なす。つまり、他者と分離された〈自律的な個〉と、他者に開かれた〈多孔的な自己〉(porous self)が対比されている。後者は近代ではより希薄になりつつある存在で、内的世界と外的世界を行き来するようなケアの精神に満ちた自己である。数々の文学作品にも「多孔的」な主体は描かれてきた。

4 〈多孔的な自己〉——ヴァージニア・ウルフ『自分ひとりの部屋』「病気になるということ」

「ケア」という言葉が用いられるとき、それは、病人へのケアや看護、子どもの育児、あるいは高齢者を介護する「女性」がイメージされがちだが、そのステレオタイプを打ち砕くような新しい観点から、「ケア」について論じられる必要もあるだろう。とはいえ、今の日本で依然としてケア労働を担っているのは女性が圧倒的に多い。コロナ・パンデミック下における労働力調査などの統計をたどると女性就業者、とりわけ女性非正規雇用者の苦境が顕著になる。対人サービス業では、介護を含む「医療・福祉」は女性比率がもっとも高い(七七%)。保育、介護、医療で女性労働者がいないと社会は回らないのに、不可視化されてきたケアワーク一般の処遇は低いままである。さらにいうと、コロナ禍以降に雇用者数が大幅に減少したが、最初の緊急事態宣言が発令された二〇二〇年四月を見ると男性三十五万人減なのに対し、女性は七十四万人と二倍以上の減少幅となっている（飯島裕子『ルポ コロナ禍で追いつめられる女性たち』[21]）。また、失業したシングルマザーなど、家庭でのケア労働に従事しながら、再就職活動を開始しなくてはならない人たちにとって、ケア実践は足枷《あしかせ》にさえなる。

ノンフィクションライターの飯島裕子は、コロナ禍において女性たちが孤立と貧困で苦しんでいる問題が深刻化している状況を具体的に紹介している。二〇二〇年十二月には六十八歳の母親と四十二歳の娘が餓死した状態で発見される事件が起こっている。冷蔵庫は空っぽで水道やガスも止められており、財布には現金が十三円しか残っていなかった。女性非正規雇用者を襲う雇用不安やそれにともなう貧困、ケア労働の増加などはいずれも以前から存在してきたが、単に不可視にされてきたものがコロナ禍であらわになったに過ぎない（同、三〇頁）。同じように、困難にあえぐシングルマザー、エッセンシャル・ワーカーとして社会を支える女性たちは、自らの命が脅かされていても、ケア実践を続けざるを得ない。そこまでして、「ケア」の価値や尊厳を守る必要があるのだろうか。キャロル・ギリガンが、『もうひとつの声で』で提唱した〈ケアの倫理〉は、自律する〈正義の倫理〉と呼ばれる近代西洋的な価値の対極に置かれ、他者のニーズに気を配る倫理である。もし女性たちが、出産や子育てのためにフルタイム（あるいは正規雇用）の労働市場から撤退しなければ、このような貧困に曝《さら》されるリスクは大幅に減じられただろう。それでは、女性たちはなぜケア実践を諦めないのか。
この問いは、これまでも決して一枚岩ではないフェミニストたちの議論とも接続する。日本のケア・フェミニズムの牽引者でもある岡野八代が的確に指摘するように、キャロル・ギリガンが提唱した〈ケアの倫理〉という他者のニーズに気を配る倫理に対して、フェミニストたちが躊躇《ちゅうちょ》したり、批判を加えたりしている。アメリカの法律家キャサリン・マッキノンからギリガンに向けられた批判にもはっきりとそれを読み取ることができる。彼女は、他者のニーズに応えることを「自らの責任とするそうした態度こそ、抑圧・支配する者が求めていることに他ならない」とした上で、〈ケアの倫理〉が女性に求める態度は、「支配者からの強制を自らの欲望として内面化した結果である」と批判した（岡野八代『フェミニズムの政治学』[22]）。この両義性が〈ケアの倫理〉がなかなか市民権を得られない大きな要因である。「家」はあまりに長いこと女性たちに従属を強いてきたし、この理念が歴史的に抱えてきた「抑圧や特権性に対するフェミニストたちの批判はたしかに正しい」と留保した上で、岡野は次のように主張する。

あらゆるひとは、家《ホーム》の中で、誰かに依存し、ケアされることでその生が始まる。そして、新しいひとを「ケアする」という活動は、（中略）生を守ろうとする愛 preservative love をそのひとに注ぐことである。たしかに、家は、もっとも暴力的で抑圧的な場となりうることが指摘されてきた。しかし、だからホームなど希求してはいけない、のではない。むしろそうした危険に満ちた場であるからこそ、ケアする者たちはケアする他者を気遣い、他者の必要だけでなく自らの必要と欲望にも心を配り、他者と自らの異なり、とりわけその能力や力の違いを受けとめながら、かつ暴力的でない応答の在り方とはどのようなものなのかを、日々模索し・思考し・実践しているのである。（同、二二五頁）

リベラル・フェミニストのシモーヌ・ド・ボーヴォワール（Simone de Beauvoir, 1908–1986）は、家を維持する仕事を単なる「ルーティンワーク」と見なし、人間的な価値を認めてこなかったが（岡野八代『フェミニズムの政治学』、二三四頁）、岡野は「人類の活動」という広範な営みとして評価する。

〈ケアの倫理〉論者であるジョアン・トロントも、イギリスの哲学者アダム・スミスやスコットランドの哲学者デヴィッド・ヒュームの道徳感情などの感受性の概念を援用しつつ、〈ケアの倫理〉が私的であるからこそ、普遍的な倫理より優れていると考えた。筆者も、十八世紀、ロマン主義時代の感受性の言説や文学を扱いながら、ケアを政治的な概念として評価し、研究しているため、トロントの構想が説得力を持つことがよく分かる。ワーズワスが生きたロマン主義時代は「共感」や「想像力」が原動力となり、当時の抑圧的な社会に批判の目を向ける文学作品が数多く出版された。かつては、社会的弱者への共感こそ重要であると見なされていたのだ。トロントによれば、「真に自由な社会では、人びとは自由にケアできるようにな」る。経済的な生活の目的は、新自由主義的な弱肉強食の鬩《せめ》ぎ合いのなかで、競争に勝ち弱者を搾取することではなく、むしろ「ケアを支援すること」であり、「必要な時にひとは他者から、良くケアされ、あるいは自分自身でケアできる生活」をめざし、「善く生きる」ことである。市場を第一に考える民主主義の形に固執してしまうような新自由主義の見方こそ、このような「ケア」あるいは「道徳感情」のイメージを歪めてしまう（トロント『ケアするのは誰か』[23]）。トロントは、ケアは、「骨折り仕事、すなわち、困難で、葛藤を引き起こすような仕事でもある」と前置きをしつつ、ケアは必ずしも搾取されるものではないという。しかし、今日のように新自由主義が幅を利かせるようになった社会における富裕層と貧困層の序列関係のなかで、ケアの捉え方が大きく変容した。今の社会では、「あらゆるものは、利潤を最大化するために計算される必要があり」、そういう価値基準では、自分は仕事を失うかもしれないという不安に駆られ、「さらに懸命に働かなければな」らないという焦燥感が追い討ちをかける。新自由主義の最大の問題は、市場第一民主主義は、大きな不平等をうみ、「共にケアする」という意識を失わせてしまうことだ（同、四五～四六頁）。

アメリカの政治学者ウェンディ・ブラウン（Wendy Brown, 1955–）の新自由主義批判はいたって明快である。「男性優位主義でブルジョワ的視点から描かれた自由主義的な主体の物語」はジェンダーの問題を孕んでいる。というのも、「ジェンダー化された性役割分業のパフォーマティヴに男性であるメンバーのみが、こうした主体に必要とされるような自律性を主張」しているからだ。すなわち、女性でも、多くの男性が強いられている長時間労働を実践し、それによって達成できる成果を出せる人たちだけが自律できる社会に、私たちは生きているといえるのかもしれない。きわめてシニカルな見方ではあるが、ワーニャや家福が自律性を主張し、他者にとっての「補佐的」な行為を否認するためには、彼ら以外の誰かが、ジョアン・トロントのいう「ケア労働」を代行しなければならない（『いかにして民主主義は失われていくのか』[24]）。ブラウンは、「ケア」と新自由主義の抜き差しならない関係性を抉《えぐ》り出している。新自由主義的文脈が依拠し続ける性別分業において「女性」と位置づけられた男女を「フェミナ・ドメスティカ」と呼ぶが（同、一一八頁）、コロナ禍以降に可視化されるようになった、ケア労働を引き受ける「エッセンシャル・ワーカー」たちもこのカテゴリーに入れられるのかもしれない。

競争する資本のみに注目する経済第一の社会では、「資本」しか可視化されない。そして「すでにほとんど認識されていなかった家庭内労働」は統計などの分析対象としては消失する。このような労働の問題の延長線上には、学校やコミュニティでますます必要になっている「ボランティア労働」、そして「市場と家のあいだのジェンダー化された分業」があるとブラウンは述べている（同、一一九頁）。自律的な主体が公共生活、労働生活、福祉、教育、家族のあらゆる領域において規範的となるとき、「フェミナ・ドメスティカ」たちには二つの可能性があるという。一つは、自分たちのふるまいを新自由主義的な経済合理性に合わせ、自律的な主体となるべく、自ら生産性に寄与するため、ケア労働（補佐役）を降りるという選択である。しかし「この場合、世界は居住不能になる」とブラウンは指摘する。もう一つは、「世界をつなぎとめるための公言されない接着剤にとどまる」という選択肢である。「この場合、女性は認知されざる補佐役として、また男性優位主義的な自由主義主体の代補として、昔ながらの場所を占めることにな」り、これまで通り「世帯、近隣、学校、職場で他者へのケアを供給する者として、不均等に多くの女性が、発展途上のもの、成熟したもの、使い古したものを含めたあらゆる人的資本——子ども、成人、障碍者、老人——のための、不可視の基盤《インフラ》であり続ける」のだ（同、一一七〜一一八頁）。

映画『ドライブ・マイ・カー』では主人公の家福が傾聴の精神に見覚めるのだが、彼は職場でも家庭でもケアを二重に回避しているとはいえないだろうか。「フェミナ・ドメスティカ」たちの担うケアへの問題意識は少ないといえる。もっとも違和感を禁じえなかったのは、メイン・モチーフに使われている『ワーニャ伯父さん』の最後の場面で、なぜ同じように傷ついている女性のソーニャが男性のワーニャを労《いたわ》る必要があるかという疑問が解消されないことだ。脚本を書いた濱口らは、ケアするソーニャを誰がケアするのかという問題について、不問に付している節がある。さらにいうと、映画では、広島から北海道上十二滝《かみじゅうにたき》町までの道のりをみさきが運転するプロセスによって彼女のケアが表現されているともいえるが、「仕事だから」という理由で彼女一人が運転をし続けるのはきわめて「骨折り」な仕事である。みさきが家福の気持ちを慮《おもんぱか》り、ケア精神を発揮する点で、市場原理が介在しない真のケアを描こうとする気魄《きはく》は感じられるのだが、彼女が運転し続けるという「オーバーワーク」が気にならない人はいないだろう。妻の音もまた、家福の練習のためにカセットテープに『ワーニャ伯父さん』の主役以外の声を吹き込んでおり、それもやはり「骨折り仕事」である。女性が骨折り仕事に従事するという脚本は無自覚な女性嫌悪《ミソジニー》の表れと解釈する人もいたであろう。娘を喪った後、子どもを作らなかった音は育児に奔走することもなく、自律した女性のイメージばかりが強く押し出されるだけに、映画で表現される女性のケア実践はかえって突出している印象だ。

「ドライブ・マイ・カー」は原作も映画も、人間の苦悩を普遍の問題として扱った、ケア精神が通底する優れた作品であることは疑いないが、あえて「フェミナ・ドメスティカ」の問題としてケアを語ろうとしない点で家福の「男性性」が垣間見える。ただ、男である主人公が「男のあり方」を反省するプロセスは決して無意味ではない。批評家の杉田俊介が『マジョリティ男性にとってまっとうさとは何か』で示そうとするきわめて重要な論点は、それである。「来るべきラディカルな民主主義を実現するためには、敵対性の政治が必要である」と考えた政治学者のエルネスト・ラクラウとシャンタル・ムフを援用しつつも、「異他なる存在としての女性や性的マイノリティの眼差《まなざ》しに貫かれながら、男性が男性問題を問い直していくこと」は今もっとも必要なことであろう。[25]

家福が女性であるみさきをドライバーとして認めることができるまでに葛藤があったことは、原作でも映画でも十分表現されていた。「車のなかの男女」はジェンダー的にも象徴的であるといえるだろう。「車」への乗車がジェンダー的な意味を持つことを文学的に表現したのは、イギリスの小説家ヴァージニア・ウルフ（Virginia Woolf, 1882–1941）である。ウルフは、『自分ひとりの部屋』

において男性であっても、女性の想像世界に入っていくことができ、反対に女性であっても、男性の気持ちを汲み取り、言語化することができるという両性具有能力を持つ人物の内面／想像世界を、二人の「男女がタクシーに乗り込む」光景に喩《たと》えている。「体に男女の性別があるように、心にも性別があるのではないか」と訴えるこの箇所は、ウルフの〈多孔的な自己〉イメージがもっとも表れている。

男女がタクシーに乗り込むのを見たとき、分割されていた心がまた自然と融合した、とはっきり感じたのです。そう感じた明白な理由は、両性が協力し合うのが自然なことだからでしょう。男女の調和から最大の満足が得られる、もっとも完璧な幸福が生まれるという説に、わたしの本能は深いところで――理屈はつかないとしても――賛同しています。（『自分ひとりの部屋』[26]）

ウルフは、男性の身体は男性性の心を、女性の身体は女性性の心をそれぞれ宿すものだと考えていない。ここでは、自己のなかに二人の男女が内在しているイメージを描き出している。奇しくも、ウルフは両性具有の精神を「共鳴しやすく多孔質[27]」(resonant and porous) という言葉で表現している。また、ウルフは、この多孔的な精神をイギリスのロマン派詩人ジョン・キーツ (John Keats, 1795–1821) やS・T・コウルリッジの精神に代表させている。なぜなら彼らの詩には両性具有的な特徴があるからだ。ウルフによれば、「両性具有の精神は、片方の性別だけの精神と比べると、男女の区別をつけない傾向にあ」る（『自分ひとりの部屋』、一七〇頁）。

ウルフが両性具有の資質を備えた詩人のひとりとしてあげているキーツは、ロンドンのガイズ・ホスピタルという病院の外科病棟で医療従事者として働いていた。彼は、男性詩人でありながら、まさに――セルフケアを含め――生涯ケア実践を行った人物である。結核に倒れた母親と弟の看病に明け暮れながらも詩人に転身するまでは、家族を養うために、麻酔のない外科手術を受けた患者の包帯を巻く仕事を続けていた。弟の最期を看取った後、自分も同じ病に罹患するが、そのときにはすでにファニー・ブローンという女性と恋に落ちていた。見習い医師であったキーツは、自己隔離を実践することだけが最愛のファニーを結核という病から守ることを知っていた。生と死の間に宙づりになった病人に一番近いところで生活していたキーツだからこそ、一八一七年十二月二十二日の弟たちに宛てて書かれた手紙に「ネガティヴ・ケイパビリティ」（negative capability）という言葉を記すことができたのだろう。ネガティヴ・ケイパビリティとは「短期に事実や理由を手に入れようとはせず、不確かさや、神秘的なこと、疑惑ある状態の中に人が留まることができるときに表れる能力」[28]を示すが、価値判断を留保する、あるいは二つの価値基準の間で宙づりになることという意味でもある。これこそが社会の固定化された考え方、たとえば、男女二分法といった社会的な束縛から自分たちを解放し、エンパワーする可能性を秘めた能力である。なぜなら、今の社会にはいかなる考え方にも序列関係が固定化されており、どちらかが「善きもの」だという先入観があるからだ。

ウルフは「病気になるということ」というエッセイで病人（横臥《おうが》する者＝recumbent）と健康（直立人＝upright）のそれぞれの価値を宙づりにしている。彼女はインフルエンザに罹患した当事者の視点から、病人にも優れた性質が備わっていることを感受性や想像力の能力で示した。これは、キーツのネガティヴ・ケイパビリティが意味するところの持久力やエンパワメントと共鳴する。ウルフは、病を「悪しきもの」とは決めつけずに、直立人の見せかけの同情に耐えつつ、詩の断片をつないだり、シェイクスピアの作品の神髄に迫ってみたり、隔離中であっても、文学テクストを介して他者と連帯する能力をパフォーマティヴに証明している。ウルフは両性具有的だと考えた――すなわちマッチョでも女性らしくもない――人物として、ジョン・キーツをあげている。ウルフもキーツも共通して称賛する文学者はシェイクスピアである。『リア王』でもテーマ化されている「男性性を降りる」ことは、直立人から横臥者（弱者）に変容することでもある。世界文学をケアで読み解く試みの中枢には、このようなケア思想が横たわっている。

また、〈ケアの倫理〉を提唱したギリガンも「文学」に救いを求めた。それは、真の「民主主義」には、家父長制を抱き込んだ新自由主義を乗り越えるための政治的イマジナリー（想像力）が必要であることを意識していたからだろう。彼女の『もうひとつの声で』は、奇しくもイギリスでは新自由主義的な政策を打ち立てたサッチャー政権、そしてアメリカではロナルド・レーガンが政権を取った一九八〇年代に刊行されている。今もまた同じように、社会格差、女性差別、人種問題などが顕著になり、わたしたちは明らかにケアが足りていない社会に生きている。世界中で読まれているケアの文学について今考えることは、この生きづらい世の中をサバイブする知恵を獲得することにはならないだろうか。

この章では十七世紀イギリスの戯曲から、各時代の文学・思潮をたどるなかで、それぞれの作品・著作においてケアという視点がどのような位置を占めているのかを見てきた。

強者であったリアが人生のどん底で娘コーディリアの愛を知り、弱さを分かち合うシェイクスピアの戯曲も、不当にも刑務所に入れられたことで、奇しくもブルジョワ社会の価値観を脱し、「真の魂」の躍動を感じることができたワイルドの『獄中記』も、経済的な打算のために人間らしい何かを見失っていたことを回復する物語である。また、斎藤幸平が最近ケア思想と結びつけて論じるようになったマルクスの「使用価値」を資本主義的な「交換価値」と対置させることによって、ケアの倫理の新たな側面を見出すことができるだろう。

キャロル・ギリガンも指摘している通り、社会が「養育者であり、世話をする人であり、内助者であ」る多くの女性たちが提供してきた「ケアを当たり前のことだと見なして、その価値を低く見積もる傾向があ」る（『もうひとつの声で』、八四頁）現在、ケアの「価値」はいかにして承認されうるだろうか。金銭的な「交換価値」では測れないケア実践は、資本主義ではない――ヴェーバーの言葉を借りれば――「無差別主義的な慈悲」を言祝《ことほ》ぐ文化的土壌において培われるのではないか。

今はまだ『ワーニャ伯父さん』や『ドライブ・マイ・カー』において女性の内助者たち（ソーニ

ャやみさき）のケア実践あるいは「フェミナ・ドメスティカ」の価値は、ワーニャや家福が体現するマジョリティ性の陰で不可視化されているようだ。だからこそ、社会全体がマジョリティの価値（＝交換価値）に支配されている問題を問い直していくことこそ、ケアの価値を再評価する契機に結びつくのではないかと思われる。強者として生きている人間にはなかなか見えてこないケア実践が確固としてあり、文学には、それを補完する想像力の世界が広がっている。

第二章　弱者の視点から見る――暴力と共生の物語

1　ケアで読み解く――『マッドマックス　怒りのデス・ロード』

障害者なんてイヤ。もう死なして、と思ってしまう。本気で。こんなバカである。／今は、本当にノイローゼになるくらい、毎日、朝まで眠れない。外出しないと、気が狂いそうだ。みんなごめんね。／もっと世の中が精神的に豊かであればいいのに、と思う。私自身、今心が豊かではない。精神的にがけっぷちに立った気になる。何日もこんな文章を書いてごめんね。／人間は何のために生きているんだろうね。死に向かって生きています。誰でもみんな死んでいきます。生きるって何なのだろうね。何のために人間は、自分と格闘して生きているんだろうね。（渡辺一史『こんな夜更けにバナナかよ』[1]）

これは、全身の筋力が徐々に衰えてゆく「進行性筋ジストロフィー」という難病を患いながらも、日本の在宅福祉・医療の充実を目指して声を上げていた鹿野靖明（1959–2002）の言葉である。ここで言及される「みんな」とは、ボランティアとして鹿野を支えていた人たちのことである。彼は、障害者をサポートするアメリカのカウンセラー、エド・ロングに出会い、その新しい「自立観」からインスピレーションを得て、施設には入らず、在宅医療で生活をしていた。つまり、これは「他人を押しのけて『孤立』へといたる自立観ではなく、他人との関わりなくしては成り立たない『共生』を含んだ自立観」（同、二一〇頁）である。鹿野という人間に魅了され、自分もボランティアの一人となって介助するようになった渡辺一史は、彼を「強いようで弱くて、弱いようで強い。臆病なくせに大胆で、ワガママなわりに、けっこうやさしい」と形容する（同、九頁）。真夜中に「腹が減ったからバナナ食う」（同、四四頁）と言い出すなど、自分ができないことを遠慮なく頼むことから、ボランティアたちとも感情のぶつかり合いを経験した。中島岳志は、「そんな衝突の中から相互理解が生まれ、ボランティアの側の生き方が変わっていく。（中略）そんなケアをめぐる不思議な関係性に迫った名作」であると、渡辺の『こんな夜更けにバナナかよ』を評している。[2]

鹿野と正反対の自立観を体現するのがオーストラリアの荒廃した近未来、支配者と脱走者の戦いを描いた映画『マッドマックス　怒りのデス・ロード』（*Mad Max: Fury Road*, 2015）に登場するイモータン・ジョーである。水源の上に立つ天然の要塞「シタデル」の首領ジョーをはじめ、住人たちの多くは、環境汚染からの疾病を患っている。ウォー・ボーイズと呼ばれる成人男性たちは、ジヨーの私設軍隊のメンバーで、彼の養子でもあるが、彼らは環境汚染のため寿命が普通の人間の半分しかなく、頭髪もない。そして、輸血を必要とするほど衰弱著しい状態の者もいる。ジョーは、この潤沢な地下水と農作物栽培を占領することで、シタデルを拠点に周辺を支配する。ジョーに軍人として仕えていたヒロインのフュリオサが、彼の子どもを生む要員として性的に隷属させられている女性五人を助けて逃走し、たまたまシタデルに連行されていた元警官のマックスが行きがかり上、助力することになるという物語である。ジョーたちには、対話を通して人々と「共生」する道もあったはずだが、それでも独裁的な支配を選んだ。マックスが連行されたのも、疾病を患う住人への供血が目的であった。彼らが力で支配する背景には、マジョリティという特権集団の特性があると考えられる。ジョーが人前に姿を現すときは必ずヨロイを身につけているのだが、「若々しい筋肉を偽装するための、肉襦袢《にくじゅばん》のようなヨロイ」（『マジョリティ男性にとってまっとうさとは何か』[3]）であると形容する批評家の杉田俊介の表現はまさに言い得て妙である。そして、この「偽装」としかいえないような見た目には薄っぺらい〝ヨロイ〟は、物理的なというより、心理的な防御としての機能しかないようだ。他者の侵入を拒むかのような「シタデル」（＝要塞）という岩に覆われた彼のベースもまた、その防御本能の表れともいえよう。

このように、イモータン・ジョーらが生きのびるために必要な「水」と「血液」は、権力と暴力の支配によって確保されている。力の行使によってそれを手に入れることや強者の仮面／ヨロイで自分の弱い姿を覆い隠すことは家父長的な体裁を保つためには必要なことなのだろう。これを資本主義社会に置き換えて考えてみれば、社会的権威や財力にものをいわせて、貧困層の人間には手が届かないような高額な医療サービスや治療を受ける状況に近いのかもしれない。『こんな夜更けにバナナかよ』を読んでもっとも印象的だったのは、鹿野がお金さえあれば施設に入るべきという考え方を、断固として拒絶していたことだ。一日に何度も「痰の吸引」などの医療行為が必要な重度の障害者にとって、医療設備の整った病院が理想的であるように思われる。しかも、在宅医療では無償労働を提供してくれるボランティアの介助だけが生命線であるため、「いつやめられるかという不安が絶えずあ」り（『こんな夜更けにバナナかよ』、二一六頁）、それはそれで本人も周囲もかなりの精神的負担だろう。しかし、鹿野は健常者と同じように「人生楽しまなくては」（同、二三〇頁）という気概で、決して施設に入ろうとはしなかった（ただし、呼吸困難に陥ったときは生きる望みをかけて入院した）。

鹿野は、困っている人を助けることはその人の生も豊かにするはずだという信念の下、自分の弱さをさらけ出すことができた。「イヤだとか恥ずかしいとか言ってる場合じゃない」（同、二二三頁）。彼のその「むき出しの、いつわりのない生に触れて」ボランティアたちは彼に魅了され、介助のために通うようになったのだと文庫版解説者の山田太一はいう。[4]〝ヨロイ〟の後ろに隠れて強者を「偽装」して生きたイモータン・ジョーとは見事な対照をなしている。驚愕すべきは、鹿野が一日生きのびるためだけでも三人か四人のボランティアが必要であるにもかかわらず、それだけの人数が彼のもとにやってきたことだ。このような共生やケアの連帯は、チャールズ・テイラーの言葉とも共鳴する――「連帯を上から管理することなどできない。連帯とは、人々が真に自己を同一化させるものでなければならない」。国家規模の共同体であれ、私的な繋がりであれ、他者に何かを強制させる、「過剰なほどの中央の支配は誰もが望む繁栄を切り詰める恐れがあ」ると考えるテイラーの思想（『世俗の時代』下）[5]は、鹿野が理想と考えていた「共生」の形に近いのかもしれない。そうはいっても、誰かに助けてもらうには、鹿野のように他者の介助が不可欠だという意思表示をしなければならず、それは〈自律的な個〉を推奨する社会においては想像以上にハードルが高い。ましてや互いに信頼関係を構築するには、労力や時間、そして忍耐力が必要である。鹿野の場合、頼んだことをボランティアがやらなければ、すぐに死に繋がるケースもあっただろう。そう考えると、彼が成し遂げた偉業は驚くべきものであった。

　十八世紀以降の啓蒙主義の見解では、人々は自己利益によって動機づけられており、究極的には近代の民主的で市場的な社会によって「利益の調和」が取れるとされていた。しかし、「行き過ぎたエゴイズム、高慢、権力や名声を競って追求すること」（同、八二一頁）といった多種多様なものがこの調和を妨げることも事実である。現代社会においては、自分たちこそが「正常」であると考える「正常性」（normalcy）と自分たちの方が優れているという「優位性」（superiority）というものが、特権を持つ人々の姿勢を形作り、マイノリティの人々を生きづらくしている。男性、白人、異性愛者、シスジェンダー、中流階級、健常者といった特権を持つマジョリティの人々の加害性が近年問題となっている。『マッドマックス　怒りのデス・ロード』に関していえば、特権を持つ

「マジョリティ」である人間のなかに、イモータン・ジョーを数えることができる。たとえば、この映画では、男性としての特権を持つジョーが女性に搾乳機を装着させて母乳を吸引させたり、性欲と生殖の道具として女性を支配している点で、男性としての特権を有し、それを行き過ぎたエゴイズムのために利用している点は疑いようがない。

ジョーたちはなぜ他者の自発性に委ねることをせず、抑圧的な支配によって子どもをもうけたり、水を独占したり、力の行使によって健康な血液を確保したりするのだろうか。特権を持つ人間が、弱者に対して発する警告的、抑制的、処罰的な言葉や態度、そして激しい憎悪を抱える問題について、杉田は次のような指摘をする。たとえば、自分たちの特権や恩恵を指摘されると、「納得していないのに、表立ってはそれを言えないから、女性や少数者に対する憎悪や暴力的な感情を溜《た》め込んでしまう」(『マジョリティ男性にとってまっとうさとは何か』、三四頁)。ジョーたちは特権を持ちながら、疾患という「弱さ」も抱えている。しかし、自分たちが被ってきた環境汚染被害という「不正義」を盾に、自分たちよりも弱い人々に憎悪や暴力を向けているともいえる。ジョーの〝ヨロイ〟の装着こそ、仮想敵に対する不安や恐怖を持つ「弱さ」を無自覚に覆い隠していることの表れではないだろうか。ライターの宮崎智之は『平熱のまま、この世界に熱狂したい』で、弱さを自覚せずに、自分たちを強者と見なすことで、かえって生きづらさを抱えてしまうのが現代の社会であると述べている。[6] ジョーは、自らの弱さを押し隠し強さだけを可視化させる現代人の象徴として考えることもできる。他方、英文学者の北村紗衣《さえ》によれば、マックスは、同じ特権を持つ男性であるが、ジョーたちから攻撃を受けて危篤状態にあるフュリオサに自分の血を与えることで彼女を生きのびさせるという「極めて思いやりに富んだ重要なケアを行う」。ケアと癒しというテーマでこの映画を読み解いている北村による「暴力としての流血 vs 癒やしのための輸血という対比」という鋭い指摘もきわめて重要である。[7]

2 〈妹の力〉——柳田国男「妹の力」、アンナ・ツィマ『シブヤで目覚めて』

そもそも強い自立した「自己」が弱い依存型の「自己」と比較されるとき、なぜ前者の方が評価されがちなのだろうか。あるいは、なぜ人は——ジョーのように——強い自己をアピールしがちなのだろうか。テイラーの〈緩衝材で覆われた自己〉は、十九世紀以降の世俗化した社会に浸透する自己像で、それは潜在的に懐疑心と攻撃性をともに抱え込んでいる。自立した、自己責任を重視する「個」が求められるからだ。近代社会におけるリベラルな思想によって「閉じられた視野の存在」が長いこと評価され、それが「人々にとっては『普通』のことになった」が、テイラーは、その閉塞的な視野の合理的な「明白さ」というものは「幻想」にすぎないという(『世俗の時代』下、六五八頁)。近代人は、個の自立に比重を置きすぎるあまり、またそのような自己は「外部」の世界と隔てられた、すなわち分離した場所としての「内部」を持つと考えるあまり、外界——他者、自然、霊的なものなど——と関係しないところで生きることを前提としがちである。つまり、「緩衝材」のようなもので覆われてしまった自己として、自分の「内部」を捉えるようになった。それは、近代以前の「魔術化された世界」に生きていた「過去の遺物と森の精霊と共に生活していた」人々とは袂《たもと》をわかっている（同、六三九頁）。もちろん「緩衝材」が失われたとき、その「内部」は外部に対して無防備になり、そのあり方自体が脆弱《ぜいじゃく》性を孕むものになるといえよう。しかし、その脆弱性にこそ、近代西洋的な自己の概念にはない特有のケアの力が秘められているのではないだろうか。これをテイラーは〈多孔的な自己〉と呼び、自他の境界が弱まったイメージとして評価している。

他者や霊的なものを含む「外界」に向かう〈多孔的な自己〉は必然的に開かれた自己である。このような相互依存の価値やスピリチュアリティが今よりも評価されていたとされる近代以前の神話や物語にヒントが隠されているのかもしれない。柳田国男（1875–1962）は、民間伝承（folklore）のなかに「常識では解説のつかぬものに、かえってわれわれのまだ知らずにいる前代のものの見方考え方がひそんでいるのかも知れない」という（『妹の力』[8]）。近代以前の物語には「肉襦袢のようなヨロイ」や〈緩衝材で覆われた自己〉とは異なる価値が見出せよう。北村紗衣によれば、「フュリオサが古典の英雄のように生きているのに対して、マックスは日本神話の『妹の力』ばりに、英雄フュリオサが誤った決断（一六〇日の放浪）をしそうになった時、知恵とケアで正しい道、故郷に落ち着く方法」を指し示しているという。『マッドマックス　怒りのデス・ロード』の主人公マックスのケア実践を日本神話の「妹の力」になぞらえるだけでなく、通常「女や老人」に与えられることが多い「知恵やケアで英雄を助け」る役割を男性であるマックスが担っていることを指摘する北村は、ケアがジェンダーレスである可能性を示唆している。

〈ケアの倫理〉を提唱したキャロル・ギリガン以前の心理学者たちの価値観を振り返ると、このようなケアの営為がいかに軽視されていたかがうかがえる。とりわけ男性理論家たちは、他者の考えに「追随」してしまう被験者らを、自律的判断が下せない、あるいは「愛憎感情に左右される」として否定的な評価を下していた（『もうひとつの声で』[9]）。他方、ギリガンは他者に「共感」する女性たちの倫理観を〝強み〟として再評価するが、この見解に従えばフュリオサに関しても、単独で決断を下さず、マックスの的確な助言に耳を傾ける彼女の性質もまた〈ケアの倫理〉に従っているといえる。じつは長らく軽視されていたケア的な側面に価値を与えていたのは前章でも取り上げたヴァージニア・ウルフであった。そのことは、ギリガン自身が以下のように述べている。

しかし、ウルフが批判している女性に見られる追随と混乱は、彼女が女性の強みとみなしている価値観から派生している。女性の追随は、社会的従属だけにではなく、女性たちの道徳的関心の実体にも根ざしている。他人のニーズに対する感受性や、ケアする責任を引き受けることで、女性は、自分よりも相手の声に注意を払い、他人の視点を自分の判断のなかに抱えこんでしまう。（同、八四頁）

これは決して、女性が先天的にケアの性質を備えているという主張ではなく、社会化された性質も含め、他者に共感する、あるいは他者の声に注意を向ける女性にしばしば見られる性質が「従属性」と結びつけられ、批判対象となってきた点に注目しているのだ。抽象概念としての「正義」や「公正」とは異なる、ギリガンが注目する「もうひとつの声」は、他者や「世界に対して責任があるというとても強い感覚」(同、九一頁)によって生じるジレンマ(同、九二頁)や「葛藤」(同、三一五頁)を含んだ声である。ギリガンは、人間の分離や自律性こそが成熟の証しであると考えた男性理論家たちの主張とはまったく異なる「関係性の網(web of relationship)」の価値を提唱した(同、一一三頁)。ギリガンがアンチテーゼを唱えたローレンス・コールバーグ(Lawrence Kohlberg, 1927–1987)の発達理論は、他者との「親密さ」や「関係」よりも「分離」(同、七五頁)を強調した。彼の「ものさしで測ったときに、道徳性の発達が不十分であるように見える集団の中でも著しいのが女性」と結論づけられることも、ギリガンは問題視した(同、八六頁)。男性理論家が弱点と考えていた性質を「強み」に反転させることに寄与したウルフの思想は、ギリガンにとって核心に触れるものだった。迷わずに決断を下すことができないのは、他者を思いやることとの葛藤を抱え込むからであり、その共感する力自体に価値が置かれている。

この議論は、柳田国男のフォークロア論にも通じるだろう。彼は、「妹の力」が「改めて痛切に要望せられる時代はきている」という。「過去の精神文化のあらゆる部面にわたって、日本の女性は実によく働いている。あるいは無意識にであったかも知れぬが、時あって指導をさえしている」(『妹の力』、九頁)。柳田によれば、女性は「精神作用に強く影響し」、「天然と戦い異部落と戦う者にとっては、女子の予言の中から方法の指導を求むる必要が多」い。この「女の力を忌み恐れたのも、本来はまったく女の力を信じた結果であって、あらゆる神聖なる物を平日の生活から別置するのと同じ意味で、実は本来は敬して遠ざけていた」ともいわれている（同、二四頁）。

もし彼女たちが出でて働こうとする男子に、しばしば欠けている精微なる感受性をもって、最も周到に生存の理法を省察し、さらに家門と肉身の愛情によって、親切な助言を与えようとするならば、惑いは去り勇気は新たに生じて、その幸福はただに個々の小さい家庭を恵むにとどまらぬであろう。（同、三四〜三五頁）

柳田は、彼が「精微なる感受性」と呼ぶこのケアの力を現代人が「迷信などと軽く見てしまって考えてみようともしなかった」ことに対して、疑義を唱えているのである。また、沖縄の「御嶽《おたけ》の神々」が男女の二柱であるなど、「かくのごとき兄妹の宗教上の提携の、いかに自然のものであったかは、遠近多種の民族の類例を比べてみてもわかる」という（同、三三〜三四頁）。

テイラーの主張には、他者に開かれた〈多孔的な自己〉、あるいは他者の声に耳を傾ける力こそ、世俗の時代には求められるという前提があるのだが、現代社会において市民権を得ている、精霊や魔術的な諸力をもはや恐れなくなった行為主体である〈緩衝材に覆われた自己〉への過剰な信頼がなくなるとは思えない。彼も、「暴力はなぜ依然として私たちと共に存在するのか」（『世俗の時代』

下、八二二頁）という問いに対して、近代社会に巣食う「排他的で世俗的な人間主義」（同、八三〇頁）の問題について考えている。屹立する自己同士がもし互いの権利や自らの正しさを主張し、暴力に訴え続けるとすればどうだろうか。宗教闘争を考えてみても、たとえ掲げる旗印が原理的に「善い」ものであってもうまくいかないだろう。世界に「不正義」と思える事案が存在するかぎり、暴力や攻撃性、あるいはその源泉ともなる怒りや憎悪をそう簡単に鎮めることはできない。「私たちは、天に向かって復讐を叫ぶ不正義に抗して戦う。人種主義、圧制、性差別、はたまた家族やキリスト教信仰に対する左派からの攻撃——私たちはこれらのものに対する燃えさかる憤慨によって動かされる」。この不正義を支持する共謀者たちへの憤慨は、闘いへと駆り立てる人間の憎悪の「燃料」となる。そして、「われわれはこうした悪の媒介者や共謀者たちとは違うのだ」という優越性（superiority）の感覚によってその憤慨はさらに増すのだ。テイラーは、この自分たちがつくり出す世界像においては「すべての悪を安全にも自らの外部に配置してしまう」、あるいは「自分が身の周りにまき散らしている大破壊が目に入らなくなる」という《盲目性》に着眼する（同、八三〇頁）。

他者や霊的なものとは繋がらない自己、あるいは正義を掲げ「善と悪との間」に線を引き闘争を繰り広げる民族や集団。この問題に「対抗するための、一般的な処方箋は存在しない」とテイラーはいう。しかし、「赦《ゆる》しと呼ぶことのできる動き」はある。「それはより深いレヴェルでは、誰にでも共通の欠陥ある人間性を承認することに基礎づけられている」（同、八四四頁）。「緩衝材」に覆われたまま、他者に対して「赦しと呼ぶことのできる動き」を駆動させることはできるだろうか。その点で、テイラーのいう宗教伝統に繋がっている「オルタナティヴな言語」(同、八四七頁)、あるいはギリガンの言葉では「もうひとつの声」が重要な意味を持つだろう。これらの理解を深めてくれる文学作品をいくつか紹介しよう。

　テイラーがとりわけ着目するイギリスのロマン派詩人ウィリアム・ワーズワスは、神話的でスピリチュアルな兄妹の物語を語っている。テイラーによれば、ロマン主義的な芸術と感性は、「人間の自然への関係にも深みを与えた」。すなわち、「自然は私たちに対して、生が生に向かって語りかけるといった仕方で語りかけてくる」だけではなく、「時間と過去に関する人々の感覚にも同様の深みを与えた」(同、八四六〜八四七頁)。柳田国男が「妹の力」と呼んだ神話的な声は、ワーズワスの「あたしたちは七人」(*We are Seven*)という詩にも響いている。語り手は、ある場所で遭遇した少女に「ねえ君、君の兄弟は／みんなで何人いるのかね」と、兄弟姉妹の数を尋ねている。「何人ですって、みんなで七人よ」と少女は自分も数に入れて答えている。「みんなどこにいるの」か尋ねると、少女は「あたしたちは七人、／二人はコンウェイに住んでいて、／ほかの二人は船乗りなの。／二人はお墓にねているの、／お姉さんと兄さんよ、／あたしは墓地の、二人に近い／お家に母さんと住んでるの」という。[10] しかし、生者の数であれば合わない。少女は、他界した姉と兄を心に留めて、彼女らを兄弟の人数に数えて生きているのだ。この詩は、少女の兄や姉に開かれた〈多孔的な自己〉が象徴的に表されてもいるが、語り手を通して読者にも霊的な気づきを与える助言になっている。

ロマン主義文学が専門でありながら、その関心領域がエコロジー、哲学、生命科学にまで広がっているイギリス出身のティモシー・モートンは、ワーズワスの詩が表現する「『原体験』のような強度的な経験から発生してくる経験」や「自己をその円環の外へと連れ出しなにか新しいものの周囲を巡るよう強いる」経験について語っている（『自然なきエコロジー』）。[11]「あたしたちは七人」の詩からもうかがえるように、「生と死の弁証法において、自らの外を見ようとする」ことに長《た》けていたワーズワスのみならず、同時代のパンデミック小説『最後のひとり』（*The Last Man*, 1826）を書いたイギリスの作家メアリ・シェリー（Mary Shelley, 1797–1851）は、生死の境目を語ることによって、「環境を組み入れていくこと」と、これと対置される「環境になってしまう」ことの両方を描いているとモートンはいう。

『最後のひとり』は世界中で疫病が流行し、主人公のライオネル・ヴァーニーという語り手が地球上の最後の一人になるというアポカリプス（黙示録）的な物語である。メアリの生後すぐに亡くなったメアリ自身の娘と同じ名前のクララという子どもが最後に登場するが、もうひとつの伝記的な部分には、自分の夫であった詩人のパーシー・ビッシュ・シェリー（Percy Bysshe Shelley, 1792–1822）を彷彿とさせる人物が物語のなかにエイドリアンという名で登場している。この小説では、クララもエイドリアンも、先に他界してしまう。地球上の「最後のひとり」となった語り手ヴァーニーは、人間がいなくなった後の地球を見て次のように描写している。「そう、これが地球だ。どんな変化も—どんな破滅も—どんな破壊も新緑の広がりを乱さない。夜と昼を交代させながら、地球は空を回り続ける。地球を飾り、そこに住む人間はいないのに[12]」。この一節はおそらくワーズワスの「眠りがわたしの魂を封じたので」(A slumber did my spirit seal)という詩を意識しているのだろう。ルーシー詩編(Lucy poems)と呼ばれる詩のひとつで、これらの詩でルーシーはたいてい死んで横たわっているが、この詩でも「いま彼女は微動だにしない、力もない、／耳も聞こえず眼も見えない」というように有機体である人間としての機能を失って、「地球の日ごとの運行につれて、／岩石や樹木と一緒に回転している[13]」。

モートンの言葉を借りると、このようなワーズワスの世界観は「人間も読者も居ない状態の瀬戸際を垣間見ること」に近いだろう。「自身の死を見ようと試みるとき、それを見ている『私たち』は生きたままでいる」というアイロニカルな語りである(『自然なきエコロジー』、一四三頁)。このモートンのエコロジカルな視点はテイラーの〈多孔的な自己〉像にも重なる。すなわち、「自然に関するロマン主義的感覚は、より大きな力のイメージ、つまりすべての事物を貫いて吹き抜ける生命の流れというイメージ」となる。ワーズワスの詩にとって中心的なのは、「緩衝材に覆われた自己の境界——注意深く引かれた境界で精神を自然からきれいに分割してしまう——を打ち破る」生命の流れであり(『世俗の時代』下、八四七頁)、その限界と可能性を豊かに表現する多くの文学作品がある。

アメリカの作家カーソン・マッカラーズ(Carson McCullers, 1917–1967)の『心は孤独な狩人』

（*The Heart is a Lonely Hunter*, 1940）は、〈緩衝材に覆われた自己〉の境界を「打ち破る」ための十分なエネルギーのない人々の物語である。この物語は、長年同居人として支え合って生きてきた二人のろう者の白人男性、アントナプーロスとシンガーが引き離されてしまうところから始まる。病をきっかけにアントナプーロスの行動に異変が起き始め、とうとう町の有力者である彼の親戚がその影響力を行使して精神科病院に入れてしまう。彼ら以外にも、孤独のなか、共感し合える人間を求めて彷徨《さまよ》い続けるミックやそれ以外の人たちの生が描かれているが、苦しみの宿命を背負いながら、命を簡単には手放そうとしなかった登場人物の描き方にマッカラーズらしさが垣間見える。

ドイツ人作家トーマス・マンの息子で作家のクラウス・マンは、『心は孤独な狩人』を「憂いにみちた小説」「底知れない悲しさがありながら、センチメンタルに陥っていない」と感想を述べている（カー『孤独な狩人』[14]）。マッカラーズ自身、生涯を通して病に悩まされた作家である。マンが彼女の作品を「憂いにみちた」と形容するのは、そこには、痛みを抱える者、重い病を患う者、あるいは身体的に障害を負っているがその苦しみが理解されない者などが描かれているからで、おそらく彼女自身が経験した類の苦しみと無関係ではないだろう。マッカラーズは幼少期から悪性貧血や呼吸器疾患などに罹《かか》り、脳卒中の発作で左半身が部分的に麻痺して体を自由に動かせなかったこともある。三十歳になる頃までには次第に体調が悪化していき、五十歳で生涯を閉じた。

そうしたマッカラーズが生んだ登場人物のミックの心のなかには「内部屋」というものがあり、そこには大好きな音楽や将来の夢の計画もあった。シンガーは彼女の内なる世界に存在しているにもかかわらず、二人はどこまでも、互いに、孤独である。ミックとシンガーの間にある隔たりこそ、「家族から自立し、自己の独自性と孤独、疎外を受け入れ、自分が最も必要としているものは自己の中に見つけなければならない」(『孤独な狩人』、二一七頁)と感じた、自他の共感の限界を知るマッカラーズの心象風景だったのかもしれない。

チェコの現代作家アンナ・ツィマ(Anna Cima, 1991–)の『シブヤで目覚めて』[15](*Probudím se na Šibuji*, 2018)にもやはり他者の共感を探し求める主人公の孤独な「魂」(生霊)が描かれるが、彼女は、マッカラーズの登場人物たちが夢想したが得られなかった自他の連帯を実現している。主人公のチェコ人、ヤナが十七歳で来日したとき不思議な現象が起きる。彼女は前々から日本やその文化に夢中で、来日してからもずっとここにいたいと願っていた。その結果、「想い」は分身として肉体から分離し、渋谷に閉じ込められてしまうのだ。彼女は、霊性を帯び、肉体を持たないが、縁のある人間とは心が通じ合うという〈多孔的な自己〉を経験している。〈多孔的な自己〉はつねに霊性を帯び、内的世界と外的世界とを行き来するような通気性のよい自己である。ヤナは、人には見えず、眠りもせず、渋谷のある範囲を越えるとたちまちハチ公前に引き戻されてしまう。この渋谷を彷徨うヤナは、国境や時代を超えて存在し続ける強い「想い」であるとも考えられるだろう。外国人なので言葉が通じない上に、肉体を持たない不自由な存在となったヤナだが、倉庫に閉じ込められたアキラを救う霊的なヤナ、七年後に来日して渋谷に留まり続けているヤナのこの「想い」と出会い、その彼女を救おうとするクリーマの他者への愛が描かれる。実体のあるヤナはプラハの大学に進学して日本語を学び、日本文学を研究するが、〈ツィマによって創造された〉川下清丸という架空の作家の物語をたどる点においても、〈多孔的な自己〉を体現している。奇想天外な展開に翻弄されながらも、読者は異文化に属する他者同士が共生しうる可能性を見出すことができる。

3　憎悪から赦しへ――ハン・ガン『少年が来る』

ヴァージニア・ウルフの『三ギニー』（*Three Guineas*, 1938）の議論も、敵対する国家、個のエゴイズムが引き起こす争いについての示唆に富んでいる。この本には、戦争をしたがる男たちと、平和を追求する女たちが登場するが、これは必ずしも女性たちが本質的に平和的であるということではない。彼女たちの営みのなかに、「他国に対する自国の知的優秀性へのある根深い感情」（『三ギニー』[16]）はない。ウルフが平和への鍵を見出しているのが、女性の「アウトサイダー」性である。身体能力の高い自律的個人間の対決、あるいは覇権を広げようとする国家同士の戦争。当時の女性たちは、そういう闘争から遠ざけられた、ある意味では無力な存在であったが、教育を受け、本を読み、議論をすることは許されていた。ウルフは、彼女たちの訴えを通して自分の声も響かせている。「私は祖国が欲しくはないのです。女性としては、全世界が私の祖国なのです」（同、一六三頁）。地球という惑星こそが〝祖国〟であると考える全人類的な視座を持つウルフは、戦争や暴力を煽動するために用いられた矮小化された「正義」に真っ向から異を唱えた。[17]

韓国の作家ハン・ガン（한강, 1970–）による全六章で構成される長編小説『少年が来る』（소년이 온다, 2014）も、軍による無残な暴力や暴行が権力を持たない「アウトサイダー」である弱者の視点から描かれている。一九八〇年五月十八日に韓国全羅南道の道庁所在地だった光州《クァンジュ》で戒厳軍による武力鎮圧が行われたときの犠牲者たちをめぐる六つの物語が語られている。この光州事件は、軍事独裁政権下にあった当時の韓国社会が、その後民主化していく上で決定的な起爆点となったが、あまりに多くの命が失われた。第一章「幼い鳥」では、自分の家に間借りしている友人のチョンデと彼の姉のチョンミを探すために遺体安置所にやってきていた少年トンホが、軍に殺された人々の遺体の納棺や遺族のサポートを手伝ってほしいとウンスク姉さんに頼まれ、危険を顧みず働き始める。語り手に「君」と呼ばれるトンホの仕事内容はケアそのものである。

チンス兄さんは、一日に何度もせわしげな足取りで君の所にやって来たけれど、それは君がノートに記した個々の特徴を紙に書いて道庁の正門に貼るためだった。それを直接見たり伝え聞いたりしてやって来た家族に、君は白い布をめくって遺体を見せてあげた。身元確認ができると少し退いて、むせび泣きの時間が過ぎるのを待った。損傷があまりひどく見えないように大まかに整えられた遺体の鼻と耳に遺族が綿を詰め、きれいな服に着替えさせた。このようにざっと遺体を清めて納棺された人たちが、尚武館に移されるまでをノートに記録すること、それが君の仕事だった。（『少年が来る』[18]）

遺体安置所に並んだ遺体は腐敗が進み悪臭を放つ。銃剣で刺された傷跡や棍棒で殴られた跡がある遺体や、ひどい死臭に覆われた場所は、軍による市民への攻撃の残虐さをうかがわせる。一時、家に戻ったトンホは父親に「デモをしている所には、近くでも行ったら駄目だぞ」(同、四二頁)と注意されていたにもかかわらず、チョンデが生きていることを願って彼を探し続け、最後まで留まることになった。[19]

第二章「黒い吐息」では、どこかロマン主義文学の世界を彷彿《ほうふつ》とさせる生の臨界点を描く。トンホの友人チョンデが、〈自己を覆う緩衝材〉がなくなった場所――すでに死んで遺体と化し、環境の一部になったエコロジカルな視点――から語っている。まさに、ワーズワスのルーシーの視点である。自分が誰かに放り投げられることを知覚する魂としての語りが始まるが、チョンデは、もはや「自分が十六歳って感じはしなかった。(中略)世の中で姉ちゃんが一番好きで、姉ちゃんが一番怖いパク・チョンデじゃなかった」(同、六四頁)。最初は、死者とさえ交流できない孤絶した魂として漂いながら「あの世で会おうなんて言葉は意味のないことだった」(同、五九頁)と死者の世界の非情さが語られる。「誰が死んで誰が生きているかは、懸命に考えれば分か」り、「このなじみのない茂みの下で、腐っていくたくさんの体の間で、誰一人知った人が居ないと思ったら」怖くなったと語る(同、六三頁)。自分の遺体が焼かれる場面では、「内臓が煮え返りながら縮んでい」く様子を眺めている。「骨が現れた体の魂はいつの間にか遠くなって、ゆらゆらする影がもう感じられなくな」る。「とうとう自由になったんだ、もう僕たちはどこにだって行けるようになったんだ」と不思議なくらい歓喜している（同、七七頁）。

光州事件では、民主化運動を煽動したとされる学生や市民が数多く逮捕、拘禁された。思想活動家を隠匿していると疑惑を持たれた出版社や編集者に対しても暴力が振るわれた。第三章「七つのビンタ」では検閲対象の本を担当した編集者として連行されたキム・ウンスクが事情聴取を受けている最中にビンタされながら、「熱いかみそりで胸に刻まれたようなその文章」を思い出している。彼女はそこで大統領の肖像写真を見上げて、「顔はどのようにして内面を包み隠すのかと」、彼女の天敵で軍の暴力の首謀者である人物の内部が密封されているさまについて考えている。「どのようにして無感覚を、残忍性を、殺人を隠蔽《いんぺい》するのか。窓下の背もたれのない椅子に腰掛けて、彼女は指先の逆むけを剝ぎ取る」（同、九六頁）。ここにはまさにキム・ウンスクが大統領の肖像写真に見出した〈緩衝材に覆われた自己〉の暗黒面が描かれている。この問題の新刊は群衆を主題にした人文書だった。そこに記された文章は、人間の持つケアする力の限界と可能性についての示唆的な内容であった。

興味深い事実は、群衆をつくる個々人の道徳的水準とは別に特定の倫理的な波動が現場で発生するということだ。ある群衆は商店での略奪や殺人、強姦をためらわず、ある群衆は個人であればたどり着き難いはずの利他性と勇気を獲得する。（同、一一六頁）

検閲対象となったこの本には、何かしらの真実が記されている。当時の軍事独裁政権下の軍人たちが集団で無差別殺人を繰り返し、他方、トンホのように名もなき人たちの遺体を納棺し、弔い、遺族に分かるように遺体の詳細を貼り出すという利他性を獲得している人たちもいる。

第四章と第五章はそれぞれキム・チンスとソンヒ姉さんを中心とした物語が語られる。第五章では、チョンデの姉チョンミのケア実践に光が当てられている。彼女は「医師になりたい」と思いながらも、チョンデのために「中学校を卒業する前に年をごまかして工場に入」り、（同、二〇一頁）「ぎりぎりの家計を工面して」、なかなか背が伸びなかった彼のために「牛乳を毎日宅配させ」ていた（同、四三頁）。チョンデが自分が殺された後も姉を忘れることができなかったのは彼女の深い愛情とケアのゆえだろう。また、「連行されないようにもがいているうちに脱げた靴が、四方に散乱していた」のを全部集めて、労組の事務室に持って行ったりしたのもチョンミである（同、二〇一〜二〇二頁）。最終章「花が咲いている方に」では、息子トンホを失った母親が、五月十八日のあの日、軍が攻撃を加える場所に取り残されていた我が子を無理にでも連れ帰らなかったことを悔いながら生きている。

分からない、なんであの日、おまえの名前を一度も呼ばなかったんだか。口がふさがってしまったみたいに黙って、ハアハア息を切らしながら後をつけたんだか。今度母ちゃんがおまえ

の名前を呼んだら、すぐ振り返っておくれ。一度も返事しなくていいから、ただ黙って振り向いておくれ。（同、二二六頁）

チョンデの探索が原因で失われたトンホの命のことを思い、「いくらにもならないちっぽけな家賃をもらったところで……チョンデがこの家に入ってこなかったら、おまえがチョンデを捜すんだと言ってあんなに頑張らなかったはずなのに……」と母親は一瞬苦々しい思いをする。ところが、母親はトンホとチョンデが「バドミントンをして笑っていた声を思い出」す。「母ちゃんがあのかわいそうな姉弟を恨んだりしたら、大きな罰が当たるよ」（同、二三四頁）と思い直し、末っ子である彼の、まだ幼かった頃の姿を思い浮かべながら、テイラーの言う「赦しと呼ぶことのできる」心の動きを駆動させている。

憎しみと赦しの間で揺れる母親がその葛藤をなんとか決着させようとする焦燥感が、じつはその少し前に象徴的に描かれている。母親が息子が埋葬される墓地で、芝生の横で草を一つかみ、ちぎって飲み込んだというのだ。「そのとき母ちゃんは泣きもせずに墓地の芝生の横で草を一つかみ、ちぎって飲み込んだそうだよ。飲み込んではしゃがみ込んで吐いて、吐いてはまた草を一つかみ、ちぎって噛んだっていうんだ。でも母ちゃんはそのことをちっとも覚えていない」（同、二二七頁）。人間を獣へと駆り立てる暴力性は『少年が来る』で注目すべきテーマであるが、自己が内部に抱え込んでしまう憎しみと戦う葛藤もまたハン・ガンにとって同様に重要である。『少年が来る』の七年前に出版された『菜食主義者』はその葛藤を浮き彫りにしている。訳者のきむ ふなによれば、ハン・ガンの作品に描かれる「欲望や怒り、憎しみなどに振り回され葛藤する獣の世界とその欲望から抜け出した植物の世界のぶつかり合いは、その対立的な意味にもかかわらず、生命のエネルギーを発する」[20]。母親が墓地でちぎって体内に取り込もうとする「草」はまさに植物の世界の象徴である。「獣」の欲望や憎しみに振り回されまいとする意志の表れともいえる。チョンデに対して憎しみを向けないために、自分の怒りの感情を鎮静化する、あるいは「植物」化する手立てとして、母親は草を食べたのだ。

読者を含め、誰にとってもトンホが愛すべき存在であることは、母親が思い出す彼の赤ん坊の頃のエピソードからもうかがえる。母親の左の乳首の形が「変てこ」だったため、トンホの兄たちは「お乳がよく出る右のおっぱいばかり吸っ」ていた。それが原因で左右の乳房が不ぞろいになったくらいである。ところが、トンホの場合は違っていた。「左のおっぱいを向けたら向けたなりに、変てこな形の乳首をほんとに素直に吸ってくれたんだ。それで両方のおっぱいが同じように柔らかく垂れ下がったんだよ」(『少年が来る』、二三九頁)と、すでにこの世にはいないトンホに語りかけている。トンホの兄たちのように、赤ん坊でさえ、見た目のよさや生産性で吸うべき方の「お乳」を判断するのだから、社会に生きる人間がさまざまな偏見を抱いて憎悪を募らせるのも理解できるということなのだろうか。あるいは、左右の乳首の形にさえ偏見を持たない赤ん坊だったトンホは、死ぬまで見た目やレッテルといったものにとらわれることのない生き方をしたということなのだろうか。母親が思い出すトンホの幼少期の記憶は、彼のケアの性質をも物語っている。

4　菜食主義と暴力――ハン・ガン『菜食主義者』、今村夏子

ハン・ガンが描く弱者からは、人間の欲望や怒り、憎悪などに振り回されながらも、なんとか人を傷つけることを回避し、他者へのケアを担おうとする気概が感じられる。彼女のマン・ブッカー国際賞受賞作『菜食主義者』（채식주의자, 2007）は三つの物語から構成されている。一つ目の「菜食主義者」は肉を食べなくなる女性ヨンへの物語であるが夫チョンが主要な視点人物で、ときおりヨンへ自身の視点が組み込まれるような語りの構成である。あとの二作は、ヨンへの義兄（姉インへの夫）の視点から語られる「蒙古斑」と、登場人物のなかでは世間の目から見ればもっとも成功していて、強者として見られているヨンへの姉インへの視点から語られる「木の花火」である。先述したように、『菜食主義者』には、肉食の「獣」が象徴する欲望や怒り、憎しみを抱えて苦しむ人間が、どうすればその世界から抜け出せるかという命題がある。

ヨンへがベジタリアンになるまで、夫のチョンはとくに彼女の変化に気づいていない。彼が「彼女と結婚したのは、彼女に特別な魅力がないのと同じように、特別な短所もないように思われたからだった」（『菜食主義者』[21]）。彼女は「平凡な妻の役を無理なくこなし」、独身時代から続けていたアルバイトをして家計を助けていた（同、一〇頁）。ただひとつ変わったことといえば、ヨンへが「ブ

ラジャーを嫌がることだった」（同、一一頁）。異変に気づいたのは、彼女が冷蔵庫のなかの肉や魚をゴミ袋に放り込んでいるのを見たときだ。しばらく経っても「毎朝、草ばかり食べるようになった」が夫はもはや不平を言わなくなった（同、二六頁）。ここまでの説明はあくまで夫によるものである。妻のヨンへから見える世界は違っていた。料理をしている最中に「怒りながらわたしをせき立て」る夫。「ちっ、なぜそんなにぐずぐずしているんだ?」「早く、もっと早く」（同、三一頁）。そのとき包丁の刃がこぼれて肉に紛れ込んだ。プルコギをもぐもぐしていた夫が、口に入れたものを吐き出す。「そのまま飲み込んだらどうなっていたかわかるか！ 死んじまうところだったろう！」ヨンへはその訴えに「なぜ驚かなかったのか」考える（同、三二頁）。そこには殺意のようなものがすでに芽生えていたのかもしれない。そして、夫の暴力性が少しずつ明らかになる。彼女が肉を食べなくなって、それまでの生活がまるで変わってしまってからも夫は自分の性欲を満たすために、激しく抵抗する彼女に「肉体関係を強要し」、「三度に一度は挿入に成功した」と、その征服欲が満たされたことを語っている。性交後の妻の様子を「引っ張ってこられた従軍慰安婦でもあるかのよう」だったと形容することからも（同、五〇頁）、夫婦の性の営みに相互の愛情はない。

その後、ヨンへ自身が暴力性を抱え込み、葛藤するようになる。彼女は「よちよちとわたしの前を歩いている鳩を殺したくなる」ことがある。また、「長い間見てきた隣の家の猫の首をしめたくなるとき、足がふらふらして冷や汗をかくとき、（中略）わたしは口をふさぐ」（同、五三頁）。いったい何が彼女をここまで追い込んでしまったのか。「木の花火」で姉のインへが明かしているように、父親の暴力はヨンへに向けられることが多かった。「父もそれとなく気を遣った」姉のインへとは違い、おとなしいが強情なヨンへは父親の機嫌を取らなかったからだ（同、二五一頁）。ヨンへは幼い頃から父親の暴力にただ耐えるしかなかった、さらには結婚後も夫の支配欲に抵抗する力もない脆弱な存在である。また、彼女は、義兄からすれば、夫チョンに道具のように扱われていた女性でもある。「彼を困惑させたのは、彼女の夫があたかも壊れた時計や家電製品を捨てるかのように、当たり前のように妻を捨てようとしたことだった」（同、一一〇頁）。

ヨンへは肉を食することを拒むことで、暴力の世界から抜け出し、植物の世界に同化しようとしていたのだろう。彼女は自分のやせ細る体を見ながら、他人に危害を加えられない「胸が好き。胸では何も殺せないから」と語る。「手も、足も、歯と三寸の舌も、視線さえ何でも殺して害することのできる武器だもの。（中略）なぜわたしはこんなにやせていくのかしら。何を刺すつもりでこんなに鋭くなっていくのかしら」と知らず知らずのうちに尖った武器のように体を変容させてしまう自分の無意識にも恐怖している（同、五五頁）。家族が見ている前で手首を切るという事件を起こした後、義兄の芸術的な感性に誘われるがままにヨンへは、自分の裸体にボディペインティングで花を描くことを許し、二人が性交する様子を撮影することさえ受け入れる。夫とのレイプのような交わりとは異なり、合意あるセックスではある。ただ、そのビデオを見てしまったインへが夫と妹の不貞を知り、とうとうヨンへを精神科病院に収容するという、この小説でもっとも衝撃的な場面が描かれる。ブラジャーでさえ着けることを拒むヨンへは拘束服を着させられ、閉鎖病棟から出られなくなってしまう（同、二二二～二二三頁）。

ヨンへは度重なる暴力によって正気を保っていられなくなる。ヨンへに繰り返し暴力をふるっていた父親が、姉インへの家では無理やり酢豚を食べさせようとして失敗し、それに怒りを爆発させた彼は娘の「頬を殴った」（同、六五頁）。さらには、施設内でも無理やり食べさせられるという暴力を受け続けるヨンへは、小説中ではおそらく最弱な存在である。ところが、強く見える姉のインへもまた、自分も「ただ耐えてきただけだった」（同、二五八頁）ことに気づく。化粧品店を経営し、その事業を拡大しながら、息子のチウを生み育て、彼の日々のニーズに応え、芸術家である夫もケアしなければならないインへもまた弱い存在だったのだ。それはヨンへの「なぜ、死んではいけないの？」（同、二五〇頁）という言葉によって与えられた気づきだった。自我から、特に「獣」のような暴力的な世界から解放されたいと願うヨンへが肉を拒絶し続けたことと、『少年が来る』で検閲対象の本の事情聴取でビンタという暴力をふるわれた編集者のキム・ウンスクが肉を食べない（『少年が来る』、九一頁）ことは地続きであろう。

菜食主義が政治的な意味合いを帯び始めたのはワーズワスが生きたロマン主義時代だった。メアリ・シェリーの夫で詩人のパーシー・ビッシュ・シェリーは、現代のベジタリアン団体であるＩＶＵ（International Vegetarian Union）のホームページにも、この時代の菜食主義者の代表として掲載されるほど、広く認知されている。当時の摂政皇太子（のちのジョージ四世）の美食・肉食趣味や悪政に対して、パーシーが嫌悪を表明していたことはすでにいくつかの研究で示されている。[22] 彼が菜食主義を主題として書いた散文としては『自然食の擁護』（*A Vindication of Natural Diet*, 1813）や「菜食主義について」（*Essay on the Vegetable System of Diet*, 1814–1815、生前未発表）がある。パーシーは、人間の支配欲、社会的弱者の窮状を顧みない圧政や暴力に対する批判として、あるいは政治の腐敗などを浄化するための実践として、菜食主義を提唱した理想主義者だった。文明を築いた人間が他の生物よりも必ずしも優れた種であるわけではなく、むしろ「欠陥」であると考えたのはパーシーの妻メアリも同じだった。『最後のひとり』の主人公ヴァーニーは、クララもエイドリアンも喪《うしな》ってしまい、地球上で生き残ったただ一人の人間。彼は孤独のなか悲嘆にくれていたが、自然界の生物たちに目を向ける。「ああ、やめよう！　悲しむ心を鍛え、おまえたちの喜びに調和させよう。（中略）神経、脈拍、脳、関節、肉体、といったものでわたしは組み立てられ、おまえたちも同じ法則で構成されている。わたしにはそれ以上のものがあるが、それを贈り物と呼ばずに、欠陥と呼ぼう」（『最後のひとり』、五一三頁）。この人間観は、すでに他界していた夫パーシーへのオマージュともいえる。産業革命によって自然環境が壊され、帝国の覇権が次第に拡がっていく時代に、メアリとパーシー・シェリーが人間のエゴイズムに強い危機感を抱いていたことの証左でもある。

『菜食主義者』のヨンへが肉だけでなく、飲食まで断つようになったのは、それによって人間の暴力性の根源を断つことができると信じたからではないだろうか。ヨンへの家族皆が、特に父親が肉好きである。暴力的なヨンへの父親が「ユッケが好き」であることや、もともとは「精肉用の包丁を使いこなして鶏一羽をぶつ切りにでき」、「ゴキブリなどは手のひらで打ち殺せ」たというヨンへの無神経さも彼女自身が自覚しているのだ（『菜食主義者』、三〇頁）。ヨンへは自分が「木」になる、あるいはせめてなりきることによって、人々を力で支配したり、暴力で脅したり、傷つけたりすることを回避しているのだろう。

今村夏子の短編「木になった亜沙」も暴力性を抱えた主人公が木になることを切望する物語である。亜沙は、子どもの頃からなぜか人と心を通わすことができず、誰も彼女が作ったものを食べようとしなかった。傷ついた亜沙は今度は後輩をいじめるようになるが、いじめてもいじめても「心は満たされない[23]」。多難な人生を送った亜沙は最期に、「こんど生まれ変わったら木になりたい、と思った」。

柿の木、桃の木、りんごの木、みかんの木、いちじく、びわ、さくらんぼ。両方の腕にたくさんの甘い実をつけたわたしと、その実を食べにくる森の動物たち。木になりたい。木になろう、遠のいていく意識の中で、そう繰り返しながら、亜沙は人生を終えた。（同、一二三頁）

植物になるという甘美な夢を見る傾向は、ヨンへにもあった。施設に入れられた後のヨンへは木々に思いを馳せるようになる。「木はまっすぐに立っているとばかり思ってたけど……やっとわかったの。みんな、両手で地面を支えていたのね。見て、あれを見て、驚いたでしょ？（中略）み

んな、みんなが逆立ちをしているの。きゃっきゃっとヨンへが笑った」（『菜食主義者』、二三五～二三六頁）

木になりたいと願ってそれが叶う亜沙は、来世では杉の木になる。そしてコンビニ弁当についてくる割り箸に加工された。そして、高齢の父をケアする思いやりのある若者のもとにやってくる。彼は使い捨ての割り箸を捨てることはせず、毎回律儀に洗い、乾かし、またそれを手に取った。彼の父が亡くなった後も亜沙は若者を（声なき声で）元気づけた。「食べなきゃだめよ。こういう時こそ、食べなくちゃ」（「木になった亜沙」、二八頁）。たかがモノだけれども、かつては生命を宿していた木の破片である割り箸の亜沙とそれを大切に扱う若者との間には、彼らを繋げるなにか生命の糸のようなものが見える。

5　弱者の視点を獲得する――グアダルーペ・ネッテル、カフカ、高山羽根子

植物や小動物という、人間ほどの破壊性を持たない存在の視点から語られることで、読者にはテイラー的な〈多孔的な自己〉の認識が共有される。人間と他の生物の視点が錯綜する作品としては、メキシコの作家グアダルーペ・ネッテル（Guadalupe Nettel, 1973–）の短編集『赤い魚の夫婦』（*El Matrimonio de los Peces Rojos*, 2013）がある。人間と他の種との境界線が取り払われた不思議な視座から描かれる男女（オスとメス）をめぐる五つの短編が収録されている。「ゴミ箱の中の戦争」は

ゴキブリの視点まで降りていく。語り手「ぼく」は、両親が離婚したため、その後伯母に引き取られる。そこには住み込みの家政婦イサベルとその母親クレメンシアがいた。「ぼく」は彼女らにケアされ育てられる。彼が彼女らに敬意を表するのが、ゴキブリを葬る場面である。彼がゴキブリを踏んでしまった後、クレメンシアは、「そっとかがんでゴキブリの死骸を片手でつまみ、紙ナプキンにくるんだ。弔いの儀式のように、どこか厳かな所作だった。それから、両隣と共用の裏庭に面した戸をあけて、ゴキブリを植木鉢の中にほうった」[24]。生き物として特定の生理学的な習性を宿命づけられた人間であるはずの視点が、ゴキブリや小動物など弱い生物の視点に置き換えられるとき、人間に宿命づけられたと考えられている支配欲、暴力の軛《くびき》から解放されうる道筋も見えてくる。

人間が自分たちを「緩衝材」で覆って、互いに暴力的な闘争を繰り広げてきた歴史的文脈を踏まえると、人間が虫に変わるカフカ（Franz Kafka, 1883–1924）の『変身』（*Die Verwandlung*, 1915）は、じつは人間を非暴力化する、暴力をなくしたいというカフカの願いがこもった変身譚だったのではないかと思えてくる。文学紹介者の頭木《かしらぎ》弘樹は、エリアス・カネッティ（Elias Canetti, 1905–1994）のカフカ論『もう一つの審判』[25]（*Der andere prozess*, 1969）に紹介されているカフカが友人マックス・ブロートに宛てた手紙、通称「もぐらの手紙」を引用しながら、この手紙のなかで「強者」の犬から「弱者」のもぐらに視点が変化することに注目している。散歩の途中で、カフカの犬が突然もぐらに「飛びかかっては、また放した」。最初は面白がっていたカフカも「犬がのばした前足でまたもやもぐらを叩いたとき」、もぐらが「クス、クススと」叫ぶのを聞いたというのだ（『カフカはなぜ自殺しなかったのか？』）。頭木は次のように分析する。

当然ながら、カフカの連れている犬は、カフカにとって脅威ではありません。もぐらがいちばん弱く、犬が強く、カフカはさらにその上です。／（中略）／ところが、もぐらがふいにクス、クスと叫びます。その声は、犬に向けられたものではなく、思わず発せられた悲鳴であり、祈りです。それは、カフカの耳にも届きます。／その鳴き声をきっかけに、カフカは突然、もぐらへと変身します。すべての出来事を、もぐらの視点から見るのです。（同、三三〜三四頁）

頭木によればカネッティは次のように説明する。「自分が相手よりもだんだん小さくなることによって、強者と自分との間の距離を大きくした。この収縮によって彼は二つのものを獲得した。彼は自分が暴力にとってあまりにも微々たるものになったことによって、威嚇から消え失せ、そして暴力に至るあらゆる忌わしい手段から彼自身を救ったわけである」（同、三五頁）。これほど明確に暴力性を孕む強者の問題を語った批評は存在しただろうか。ハン・ガンの『菜食主義者』のヨンへも「もぐら」のようにどんどんやせ細っていった。鳩を殺したいという欲望に駆られていたヨンへは、自ら小さくなる道を選んだのだ。また、この小さく、弱くなる過程はカフカの「断食芸人」(Ein Hungerkünstler, 1924）を彷彿とさせる。断食ブームが去ってもまだ、断食芸人はサーカスに就職し、見世物として檻に入れられ、動物小屋の近くに置かれた。彼の心を傷つけたのも、「目の前を運ばれていく猛獣に食べさせる生肉」を見たり、「それを与えるときの遠吠え」を聞いたりすることであった。[27]

高山羽根子の芥川賞受賞作『首里の馬』も、弱者からの視点を意識して書かれた優れた小説である。主人公の未名子は「沖縄及島嶼《とうしょ》資料館」で資料の整理を手伝っている。未名子が収集するモノたちは未来に生きる人たちのために残される〝生〟の標本のいびつな集積を体現している。表題の「馬」とは「宮古馬」（ナークー）のことで、未名子が少しずつ関係性を築いていく美しい馬――速さを競う馬でない点で資本主義の価値とは異なる――であり、人間以外の生き物と関わりながら生きていく彼女の生き生きとした姿を鮮やかに捉えている。この物語が、強者と弱者という序列化された社会構造をそのまま映し出すのではなく、むしろ弱い存在が生きた記録のように綴られている点で、ハン・ガンの語りとも響き合う。

高山は「外」と「内」、「強者」と「弱者」といった二項対立の構図に抗うような物語を数多く紡いできた。未名子が従事する変わったクイズのアルバイトの顧客（クイズ解答者）の一人、ギバノは自分の国が経験した民族闘争の歴史を次のように語っている。「今生きているのは、親の親の親が人や動物をたくさん殺したから。僕は殺したほうの子ども。戦うことが好きな、強い生き物が残って、殺すより死ぬほうを選ぶ生き物は、消えた。（中略）僕の弟はカメラを抱いて死んだ。彼の妻と小さい娘は……肉の、肉……」。未名子は、ギバノの「とぎれとぎれな涙声の話」を聞いて、いたたまれなくなって「叫び出してしまいそう」になる（『首里の馬』[28]）。学校では落ちこぼれ、学歴競争から取り残されていた末名子は、競争社会から取り残されてしまうような弱者の代表格といえる。そして、そんな彼女が自分のアウトサイダー性と重ねるのが「あまり速く走るようにはできていない」（同、七五頁）宮古馬なのだ。彼女の潜在的な「弱さ」「傷つきやすさ」はこれまでの高山文学の核心部分にある。

人間の世界に戦争や暴力が依然として存在しているのは、自分たちが受けた暴力や差別という不正義に対して憤慨があるからだとテイラーは述べた。自分たちの憎悪の焔の燃料となるのもそういった憤慨であるとすれば、なにをもって鎮火すればよいのだろうか。相手を威嚇したり、攻撃したりするのが〈緩衝材に覆われた自己〉であるなら、そのオルタナティヴな方法としては〈多孔的な自己〉に変容させてみるという手がある。ハン・ガンや今村夏子、あるいはカフカが文学的に表した「変身」——たとえそれが想像上の変身だとしても——である。

カネッティの分析では、強者の犬と弱者のもぐらの争いを目撃したカフカは、大きくなることではなく、むしろ「だんだん小さくなること」を選び、それによって「暴力に至るあらゆる忌わしい手段」を自分から取り除いたのだという。人間にとっては、自分の身体（手、足、頭など）をも含む身の回りのあらゆるものが潜在的に武器となりうる。そう考えると、『菜食主義者』において、ハン・ガンがヨンへの「胸」を唯一暴力の道具にはならない部位として表象したのも印象的である。屹立し合う自己は物事の「正しさ」を見出す、しかし複数の声を聴く可能性にも開かれている。たとえ、それが割り箸のような小さい声で発せられたとしても。冒頭で引用した鹿野靖明の「もっと世の中が精神的に豊かであればいいのに、と思う」という言葉を反芻する。「精神的にがけっぷちに立った気になる」とボランティアの「みんな」に向けて自分の弱さをさらけだした彼の言葉は重い。「誰でもみんな死んでいきます」。その通りである。強者も弱者もみんな死に向かっている。そして、それぞれが孤独を生きている。だからこそ、地球上に人間として生きているほんの一瞬の時間を、暴力で溢《あふ》れたものでない、共にケアし合う「生」を生きたいと思う。そのためには、弱者の視点から見ることが必要ではないか。ケア精神に貫かれた文学作品に触れると、そう感じられる。

この章では、自分の弱さにどう向き合うかという問題について考察してきた。具体的には『マッドマックス　怒りのデス・ロード』のイモータン・ジョーと『こんな夜更にバナナかよ』の鹿野靖明を対比させることで、弱さを認め合うことの価値について見てきた。自分の弱さ——あるいは他者に追随してしまう弱さ——がかえって「強み」になるという鹿野のようなケースは、ヴァージニア・ウルフの議論を援用したギリガンによっても指摘されていた。そしてそのギリガンが擁護する弱さの強みは、柳田国男が論じる「妹の力」と不思議と重なり合っている。それはいずれも他者に開かれた、ときに霊的にもなりうる〈多孔的な自己〉を想定している。

反対に、他者と繋がらない自己、つまり虚勢を張って強さを示そうとする〈緩衝材に覆われた自己〉というものは、留保することなく、相手を自分の意向に沿わせようとする。他者との闘争においては、「善と悪の間」に線を引いて戦い続ける方向性である。そこには〝赦し〟の余地はない。

ワーズワスや作家のマッカラーズらは文学作品のなかにそのような屹立する自己ではない、孤独のなかでも共感し合える人々を描いた。第一次世界大戦を経験したウルフは『三ギニー』において戦争や暴力を煽動する「正義」に対して異論を唱えている。このようなウルフの反戦思想は、ハン・ガンの『少年が来る』の主人公たちによって体現されている。今、このような作品を読むことの意義は、互いが強いフリをし威嚇し合うことで相手を傷つけるのではない、「共生」の方法を模索することにあるのではないだろうか。

第三章　ＳＦ的想像力が生み出すサバイバルの物語

１　ＳＦ的日常を再考する——ダナ・ハラウェイ「サイボーグ宣言」

……異様なのはお互い様か。
敷島は、ちょうど向かいの壁に設置されていた小さな鏡に目を向けた。彼自身もまた、同じ白ずくめの防護服なのである。

この防護服姿の人物はＳＦ映画に登場しているわけではない。じつは新型コロナウイルス感染症の診療現場を描いた小説『臨床の砦』の視点人物である敷島が、重症化したコロナ感染者の対応をする場面なのだが、彼は「頭から真っ白な防護服を着て」いる救急隊員たちが「ゴーグルの向こうに目だけを光らせている」のを見て、その「異様」さに気づく。[1] この「何度見ても見慣れるものではない」医療現場の描写は、じつは長野県内の感染症指定医療機関に勤め、医療崩壊ともいえる状況に直面した作者、夏川草介自身の体験に基づいている。[2] アメリカの作家スティーヴン・キングは、すでに一九七〇年代に同様の防護服の情景を『ザ・スタンド』（*The Stand*, 1978）というSF小説に描いていた。これは恐るべき感染力と致死率を持つインフルエンザのウイルスが、軍の研究所から流出し蔓延《まんえん》してしまうという、当時の現実からは想像できないような物語である。『ザ・スタンド』は一九九四年にテレビドラマ化され、序盤あたりに政府関係者が着用する緑の防護服が不気味に映し出されている。夏川が主人公の医師敷島に「防護服姿」の印象を語らせているのも、かつてはサイエンスフィクションの世界でしか起こりえなかったことが医療現場で現実になったことを伝えたかったからかもしれない。

また、イギリス出身の映画監督クリストファー・ノーランのSF映画『インターステラー』（*Interstellar*, 2014）には、生態系の均衡が崩壊し、砂嵐など気象災害によって最終的には地球に人間が住めなくなってしまうディストピアが描かれている。農作物が全滅し、人々が食糧難で苦しんでいるために表立って宇宙工学の科学技術に予算を使うことはできないが、ジョン・ブランド教授を中心としたチームは秘密裏に宇宙に移住可能な惑星を探索する「ラザロ計画」を進めていた。そこで、主人公の元宇宙飛行士ジョセフ・クーパーとブランド教授の娘アメリアは、別の銀河に人類の新天地を求めるというミッションを遂行する。クーパーよりも前に惑星を探索していた先駆者ヒュー・マン教授が見つけていた氷の惑星に、クーパーとアメリアは二年（地球では二十三年経過）

の月日をかけてたどり着く。そこで、このミッションに関する真実を知ることになるのだが、それが原因でマン教授とクーパーの間で死闘が繰り広げられる。この計画の真の目的が地球上の人間を救うことではなく、人類の凍結された受精卵を新天地の惑星で人工培養し、種の保存を実現させることだったとマン教授に説明されたとき、クーパーは家族や地球上の人間を救うために帰還を決意する。マン教授はそれを妨げようとクーパーを宇宙船の外に連れ出し、殺害しようとする。しばらく二人は揉み合うのだが、クーパーの方がヘルメットに亀裂を入れられてしまう。氷の惑星の大気中を漂うアンモニアがヘルメット内に侵入してきて、クーパーは窒息寸前まで追い込まれる。コロナ禍以前の映画だが、防護服とヘルメットがなければ、人間がいかに脆弱《ぜいじゃく》な存在かが象徴的に表され、不思議とコロナ禍の緊迫した医療現場を彷彿《ほうふつ》とさせる。

コロナウイルスの比喩について書いたイギリスの言語学者ジョナサン・チャタリス＝ブラックによれば、マスクのみならず、一見宇宙服にも見える「化学防護服」(hazmat suit)も、コロナパンデミック以降は感染の「換喩」(metonymy)のひとつになった(*Metaphors of Coronavirus*)[3]。このような換喩が流布する背景には、コロナパンデミック以降、人の「口」や「身体」が感染源のひとつと見なされるようになり、それらがいわばコロナウイルス(SARS-CoV-2)の「容器」(container)というイメージを人々が共有するようになったことがある(同、一七九頁)。日常的に口を覆う「マスク」は感染拡大を抑え、医療現場で医師たちが着用する「防護服」は重症患者からの感染を防ぐための基本的な方法となった。かつては非日常的であった情景が日常の一部になりつつあるコロナ禍の状況下において、一九八四年に公開されたアニメーション映画および原作となるコミック版『風の谷のナウシカ』（一九八二～九四年）が、改めて観直され、読み直されていることも腑に落ちる。[4]この作品の舞台は産業文明が滅びて千年経った世界であり、それは防毒マスクなしでは短時間で肺が腐ってしまう瘴気《しょうき》に満ちた「腐海」と王蟲《オーム》の存在する世界でもある。[5]この新たな生態系が生み出した「腐海」の影響から守られていたナウシカの住む風の谷にも、外部から飛行船が来たことで瘴気が流入する。コロナウイルスが国外から持ち込まれ、今や世界中で蔓延した状況とも重なるだろう。

これらのサイエンスフィクションの作品は、外界から「口」や「身体」を科学的な手段で遮断するものがなくては生きられない世界を描いている。このように外界の空気と直接接触することを回避する傾向は、学校や民間企業などにおけるテレワーク（オンライン授業や在宅勤務）の普及にも繋がった。しかし、人間の科学への依存をめぐるこのような想像力が新しいというわけではない。機械と人間の共存は十九世紀から二十世紀にはすでに語られていた。オスカー・ワイルドは、百年後には人間の労働は大幅に機械に依存しているだろうと希望的に予測していたし、田園風景を舞台に小説を書くことで知られるイギリスの小説家Ｅ・Ｍ・フォースター（E.M. Forster, 1879–1970）でさえ、「機械がとまる」（The Machine Stops, 1909）というＳＦ短編小説で、未来の人間が地下社会を築き、蜂の巣のような六角形の小部屋で隔離生活を送り、衣・食など生活上の行為、音楽や文学などの娯楽、人とのコミュニケーションのすべてを機械を通じて行う世界を緻密に描いている。主人公のクーノは、機械に頼る生き方に満足している母親のヴァシュティに対して疑問を抱き、身体性のない世界観を自由の喪失だと訴えている。[6] そして、フォースターのこの短編作品に影響を及ぼしたのは、未来の科学技術支配を予言し、機械の使用を固く禁じた国を描いたイギリスの作家サミュエル・バトラー『エレホン』（*Erewhon, or, Over the Range*, 1872）であり、このような科学を介した権力構造を批判的に捉える小説は、主人公の科学者による被造物《クリーチャー》創造が語られるメアリ・シェリーの『フランケンシュタイン』（*Frankenstein*, 1818）にまでさかのぼるであろう。

現代社会において、掃除機、洗濯機、電子レンジなどの機械がいかにケアを担う人々の家事の負担軽減のために役に立っているかを考えれば、そう目くじらを立てて批判する必要もないだろうという向きもある。テレワークといった新しい形態の働き方も、家事や育児などとの両立がしやすく、今では「女性活躍」を後押しすると考えられてもいる。しかし、果たして科学技術の発達は女性が働きやすい、あるいは生きやすい環境を提供してきただろうか。たとえばアメリカの科学史家ダナ・ハラウェイ（Donna Jeanne Haraway, 1944–）が「サイボーグ宣言」で言うとおり、「新技術によって可能となった」[7] 家庭の外にある「ホームワーク経済」の深刻な問題は看過できないのではないか。リチャード・ゴードンは「ホームワーク経済」を「従来、女性の職種――すなわち、文字どおり女性のみが担ってきた職種――に特有であるとされてきた数々の特徴を包括的に含むような労働の再編である」と定義しているが、ハラウェイは、この類の仕事につく人々が「予備労働力として分解・再組み立てされたり搾取されたりする対象となり、労働者としてよりは奉仕者であるとみなされるようにな」ったことに注目している（「サイボーグ宣言」、三一九頁）。この労働形態は、「女性に対して、自らのみならず、男性、子ども、老人の日常生活をも維持せよとの要求の強まったこととも関連している」（同、三二〇頁）。ハラウェイはこのような「ホームワーク経済」の原型をシリコン・ヴァレーで働く多くの女性のままならない状況に見出している。「彼女たちが日常的に抱えているのは、ヘテロセクシュアルな連続単婚状態にあり、保育について取決めを行い、親戚関係をはじめとする各種形態の伝統的共同体とは隔絶され、孤独にさいなまれがちで、歳をとるにつれて経済的に極端に追いこまれていくといった現実である」（同、三一八〜三一九頁）

コロナパンデミック以降の傾向を見ても、テレワークによって「育児しながら働く人が増える」「介護しながら働く人が増える」といった期待が高まるより、むしろ減少しているという調査結果もある。また、女性がテレワークによって「家の中にいても仕事に束縛されてしま」い、かえって負担が大きく感じることもあるという。[8] パンデミックの状況下では、こうして弱い立場にある人々が疲弊させられている現実が突きつけられている。ケア実践を免れている人と免れていない人の労働負担の格差が広がっているといえるのではないか。

コロナパンデミックの状況を体験した人間にとって、一九八〇年代にハラウェイが発表した論考「サイボーグ宣言」は、決して古いとは感じられない。一九六〇年代から一九九〇年代は、情報工学が圧倒的な進展を遂げた時代でもあるが、ハラウェイは「サイボーグ」的な存在を人工物のみならず、何世紀も前から男性至上主義の社会で道具化されてきた女性、あるいは有色女性たちの境遇にも当てはめている。たとえば、スペインのアステカ征服に際してスペイン側から要請を受け、通訳として活躍したマリンチェ（La Malinche, 1502–1527）という女性などである。マリンチェは「新世界のメスティーソという『非摘出』人種の母であり、ことばの達人」であった（「サイボーグ宣言」、三三六頁）が、ハラウェイは、「男性至上主義的な恐怖をいだかせる性悪な母」という彼女の否定的なイメージから「生存を教示し、起源において読み書きに秀でた母」という助力者のイメージへと変容させた有色の女性たちの功績を称えている（同、三三八頁）。

ハラウェイのフェミニズムへの多大なる貢献は、こうして支配層に奉仕してきた広義の「ケア」実践者の物語を掘り起こし、「サイボーグ」を肯定的に捉え直すことだったといえる。第一章でも述べたようにウェンディ・ブラウンは、新自由主義的文脈が依拠し続ける性別分業において「女性」と位置づけられる男女（エッセンシャル・ワーカーを含む）を「フェミナ・ドメスティカ」と呼んだが、[9] ハラウェイはこのように「女性、有色の人々、自然、労働者」など、支配者にケアを提供してきた、あるいは奉仕してきた「他者」――このカテゴリーには動物も含まれる――を「サイボーグ」と呼ぶ（「サイボーグ宣言」、三三九頁）。マリンチェのみならず、「抵抗意識」という政治的アイデンティティのモデルを理論化したシェラ・サンドゥーヴァルは「有色女性」について「自然な存在ではないからこそ、対抗意識という力」を持つと論じる（同、三〇〇頁）。彼女たちの読み書きや言葉の力こそが、「男性《マ》／人間《ン》以前の昔むかしに存在したかもしれないような全体性をめぐる想像力」（同、三三五頁）を言語化する（通訳／翻訳する）可能性を秘めているというのだ。『インターステラー』で他者を道具化する男が「マン」教授と名づけられるのも必然であろう。そういう意味でも、他者をめぐる想像力は貴重であり、彼女らを自然化、道具化しようとする既存の価値観に抵抗することを可能にする。すなわち、想像力によって、他者の視点から語られる物語が社会全体に共有されうる。

ハラウェイは近代社会が用いてきた「自己」と「他者」の二項対立を振り返りつつ、前者に、こころ／文化／男性／文明／真実／能動的といった言葉がついて回るのに対し、後者には、からだ／自然／女性／未開／幻影／受動的などの言葉が結びつくことを指摘している。「自己であるとは、支配されざる状態にあり、他者にかしずかれることによってそのことに気づくような何者かとして存在することであ」る。他方、「他者とは、未来を握る者であり、支配される経験によってそのことに気づくような何者かとして存在することである」（同、三三九～三四〇頁）。そして、サイボーグたる「他者」は、西欧文化の中心をなす起源神話のみならず、「比喩的な意味でも、字義どおりの意味でも」（同、三三五頁）、男根中心的で論理中心的な起源物語を覆す力を秘めており、通訳／翻訳のような労働によって人々の生存《サバイバル》を助け、ケアしたマリンチェのような「未来を握る者」の物語は、まさにその典型例といえる。ＳＦ・ファンタジー評論家の小谷真理が『ファンタジーの冒険』で明快に論じているように、一九六〇年代以降、キリスト教内の女性神秘主義を探求したアメリカ人作家アーシュラ・Ｋ・ル＝グウィンの『こわれた腕環』（『ゲド戦記』第二巻）や、エジプト神話、ケルト神話、アラビア神話、インド神話などの異教を用いてフェミニスト神秘主義の再解釈を行っているイギリス人作家タニス・リーの作品群、こういったファンタジー小説によって魔女や女神文化が再発見された。女性作家のファンタジー小説に豊かに描かれる想像力の世界は、小谷が指摘している通り、「単に魔女や女神を復活させようとしたものではな」く、「魔女や女神という『文化的表象』自体にサイボーグ的変貌を迫る、ポスト対抗文化《カウンター・カルチユア》の言説的圧力」として捉えられるものである。[10]

2　想像力で境界を超えてゆく——『インターステラー』、レム『ソラリス』

ハラウェイが言及するアメリカの文化人類学者アイファ・オングの『《アジア》、例外としての新自由主義』における語り直しも、「サイボーグ」の観点から捉えると、東南アジアの女性をエンパワーする言葉に満ちている。外国人への人権侵害の問題で日本の入管制度が注目を集めているが、アジアでは著しい経済成長のなかで、介護福祉や家事労働、さらには性産業に関わっている多くの女性出稼ぎ労働者たちが、日本のような受け入れ国の社会に労働力として包摂されてきた。オングによれば、彼女たちは政治的権利はおろか、しばしば最低限の市民的権利をも剝奪《はくだつ》されている。[11]ハラウェイは、オングが描き出した「日本や米国資本の電子機器工場で働く東南アジアの村々の女性労働者たち」を例に挙げながら、ケアの営みを「真の生命／生活を得んがための犠牲」というイデオロギーから切り離し、いかに「リアルライフのサイボーグ」たちにとって「生存こそが最大の関心事」であるかを伝えている。それは、「自らの身体や社会についてのテキストをいきいきと書き直し」た彼女らの物語によって示されているのだ（「サイボーグ宣言」、三三九頁）。このテーマは、社会の周縁で生きる「他者」によるケアの営為を肯定しようとするキャロル・ギリガンの〈ケアの倫理〉とも近接性を帯びているだろう。

ノーラン監督の『インターステラー』にも、じつはハラウェイのサイボーグ的な物語が埋め込まれている。先ほども触れたが、クーパーが当初知らされていなかったラザロ計画の真の目的は、地球上の人々の「生存」を確保することではなく、凍結受精卵を遠い惑星で人工培養し、種を保存することであったが、それはすなわち、生きている人間の生存は最初から諦められていたということだ。この計画の首謀者であるブランド教授は、ある意味で近代的「自己」の象徴である。彼の老齢の「からだ」は宇宙飛行には当然耐えられない。彼は実質上の労働力を提供する「サイボーグ的」な存在であるクーパーと娘のアメリアに、指令を伝え、なされるべきことを託している。未来の「種」のために、二人に困難に立ち向かえという。

宇宙への船出は――星から星へ渡るインターステラーの旅だ　我々の寿命を超えた遥かなる先へ　立ち向かえ　個を捨てて　人類という種のために　〝あのやさしい夜の中へおとなしく入ってはいけない〟

ブランド教授のこの言葉は、一見近代的「個」を捨てて、人間同士の関係性、あるいは相互依存を選択せよと伝えているようにも思われるが、実質、彼が二人に押し付けているのは、今ある地球上の生命は死に絶えてもよいという恐ろしい価値観であり、皮肉にも彼の〈自律的な個〉の判断のせいで奪われる命の犠牲の大きさが前景化されている。またブランド教授がイギリス、ウェールズのディラン・トマスの詩「あのやさしい夜の中へおとなしく入ってはいけない」[12]（Do not go gentle into that good night）を引用しているのも、重要である。この詩のなかの「死滅してゆく光に向って怒り狂え　怒り狂え」（Rage, rage against the dying of the light）という一節（同前）を、死滅してしまう運命を人間はおとなしく受け入れてはいけない、自分の生命を犠牲にしてでも「種」を守れと恣意的に解釈している。彼には、何か予期せぬ発見によって人類の生き残りが救われるかもしれないという想像力が欠けている。

他方、人類の生命を犠牲にせず、生存を第一義的に考えたクーパーやアメリアは、マリンチェ的な「他者」を象徴している。マン教授はどうだろうか。彼は、ブランド教授同様、氷の惑星に着陸してすぐ、人類は生き延びることができないと結論づけた。彼は孤独に死にゆく運命を受け入れられず、不実にも、氷の惑星が人類の新天地であるかのような捏造データを地球に発信していたのだ。マン教授の信号を頼りにこの惑星にたどり着いたクーパーとアメリアが、その事実を知り地球への帰還を決意したのは、残り少ない燃料を家族や友人、人類全体の「生命」を救出するのに役立てるためである。マン教授は、その燃料を、まだこの世に生を受けていない「種」を別の惑星に運ぶために使おうとするが、最終的には自滅してしまう。ここからネタバレになるため、映画の内容を知りたくない読者は、注意していただきたい。

じつはクーパーやアメリアは、氷の惑星にたどり着く前にミラー飛行士が見つけた水の惑星を探索していたのだが（ミラー飛行士はすでに大波に襲われて死んでいた）、その星の近くにある巨大ブラックホール（ガルガンチュア）の超重力が時間の流れを遅くしており、一時間が地球の七年に相当し、ようやくその惑星から脱出できたときには地球時間の二十三年四ヶ月と八日が経っていた。そのため、地球ではクーパーの（まだ十歳だった）娘マーフが大人に成長してブランド教授とともに重力の研究を行っていた。重力の数式を解くためにはブラックホールの量子データが必要になる。クーパーらが新しく思いついた計画というのは、未知なるもの、得体の知れないもの、あるいは原初的なるものの象徴として登場するこのガルガンチュアという名の超巨大ブラックホールに、AI（人工知能）のTARSを送り込んで量子データを取得し、それを人間が理解できる言語に翻訳させるというものだ。翻訳のできるTARSは、文字通り「サイボーグ」を具現している。

注目に値するのは、辛うじて生き延びたクーパー（西洋白人男性）が、この任務を、ブランド教授のように他者任せにしない――「サイボーグ」（TARS）にだけ奉仕させない――ことだ。彼自身もTARSを追って自らブラックホールに突入し、「サイボーグ的」な役割を引き受ける。クーパーは、そのブラックホールを通じて五次元の世界に迷い込み、地球の過去、現在、未来すべての時間と連結している三次元の空間（マーフの部屋）の本棚の背後に閉じ込められる。TARSと通信ができるようになったクーパーは、ＴＡＲＳが回収した量子データをモールス信号に翻訳させ、マーフが持っている腕時計の長針の動きとして伝える。そして、まだ少女であったマーフも、成長して研究者になったマーフも、異次元から送られてくる父親のメッセージを想像力で補うことによって理解する。ハラウェイは「生存のための力」すなわち「自らを他者として刻印した世界を刻印するツールを制圧する過程に基づいた力」を持っているのはサイボーグであると述べたが、そのような力を持つクーパーと彼の娘マーフこそが「未来を握る者」といえる。現実では想像できないことが次々と起こっていくなかで、クーパーは男性ではあるが、ハラウェイの「サイボーグ」的な役割を担い、人類が生き延びるための道を模索していく。クーパーはＴＡＲＳにこういう。「私は自分でここ〔マーフの部屋＝引用者注〕に来たんだ。三次元と繋がってる。橋渡しさ。私じゃない。選ばれたのはマーフだ」。ホームワーク経済では専門職を奪われる女性が多いが、まさに研究職に就いて「地球を救う」任務を遂行するマーフは、そのステレオタイプのアンチテーゼとなっている。『インターステラー』における「他者」はマーフだけではない。この作品における究極の「他者」（＝未来を握る者）は、「ガルガンチュア」と命名された巨大な超知性体の存在といえよう。アメリカ文学者の巽孝之が『現代ＳＦのレトリック』で述べているように、そもそも巨大生体回路は「典型的なＳＦ的アイデア」である。[13] 巽は例としては、アメリカのＳＦ作家ジェイムズ・ティプトリー・ジュニアによる実験短編「大きいけれども遊び好き」を挙げる。この物語の主人公はじつは、宇宙空間を流れる異星の生体回路なのだ。地球の人間の肉体を模倣していたこの主人公は、その後、宇宙空間に茫洋と広がって漂いながら、「心とはいえぬ何かのうちに、巨大でとりとめのない思い、唐突にふくらんではしぼむ憧れを抱えこんでいる」[14]。このような知性を持つ巨大生体回路たる「他者」は、ポーランドのSF小説家のスタニスワフ・レム『ソラリス』に描かれる「ソラリスの海」という「液体状の巨体」にも重ねられるだろう。[15]『ソラリス』で際立っているのは、「ソラリスの海」がこの惑星の真上に陣取っている人間たちの無意識を読解し、彼らの夢に登場する人物を擬態することで、人間を理解するという高度な知性を備えていることだ。

ソラリスと遭遇する主人公の心理学者ケルヴィンは、今は亡き妻ハリーの夢を見ることで彼女が「実体化して肉を備えた姿となって現れ」る（『ソラリス』、一三三頁）。巽によれば、かつて妻を自殺へ追いやったケルヴィン自身の後悔や良心をソラリスが読み取り、無意識に内在する物語を「ハリー」の姿や言葉が鏡のように映し出しているため、彼はメロドラマを演じる「ハリー」を抱き寄せ、「贖罪の名のもとに尽きせぬ退廃の日々を手にいれる」ことができた（『現代SFのレトリック』、三八頁）。ソラリスに先に到着していた人工頭脳研究者スナウトは、このような人間中心的なケルヴィンのソラリス解釈に水をさし、彼の想像力が「地球」の域を脱していないことに気づかせようとする。つまり、ケルヴィンには、ブランド教授やマン教授の近視眼を彷彿とさせるようなものの捉え方があるのだ。

スナウトは、「地球」と「他の世界」には決定的に異なる視点があると語っている。「われわれは（中略）宇宙の果てまで地球を押し広げたいだけなんだ」（『ソラリス』、一三五頁）。ここで、スナウトはケルヴィンの想像力が及ばない領域について、「われわれの世界の向こう側には、何やら人間が受け入れられないもの」があるという（同、一三六頁）。「海が人間の体を模造、合成するという、人間にもできないことをする能力を持っていること」（同、三三三頁）を経験するケルヴィンやスナウトたちの物語を通じて、我々読者もまた人間のヒュブリス（尊大さ）に気づかされる。この視点は、小説のなかで紹介される惑星学者ムンティウスの「科学によって定められた境界を超えてゆく独特の信仰」とも共鳴している（同、三二八頁）。

ケルヴィンが「他者」（異星＝異性）であるソラリスをどのように見るかという問題は、彼自身が外界をどう見るかという彼の内面世界の写し鏡でもある。このように、ＳＦ小説が読者に気づかせてくれるのは、「外宇宙と思われてきたものはじつはそう見えるほど外宇宙ではなく、内宇宙と思われてきたものもじつはそう見えるほど内宇宙ではないということ」だろう（『現代ＳＦのレトリック』、一三九〜一四〇頁）。ケルヴィンが、外宇宙にあるソラリスと遭遇したことで思い知らされるのは、彼がいかに「他者」（妻である女性）を必要としていたかという内宇宙に関する真実であった。

3　想像力の軽視／経済学の重視――ダニエル・デフォー『ロビンソン・クルーソー』

もちろん、現実世界ではこんなＳＦ世界のようなこと――死んだ人間が実体化するようなこと

――は起きないだろう。しかし、「他者」との遭遇を描くサイエンスフィクションは、自分たちが経験する「現実」をどう捉えているかを考えさせる寓話になりうる。人類学者の磯野真穂は『他者と生きる』で、次のような哲学者の宮野真生子《まきこ》の言葉を引用している。

あらためて問おう。「現実」とは一体何なのか。さしあたって言えるのは、どうやら現実とは多様で動的であり、単に目の前で起こっている事象を直接感じるだけでは、あるいは具体的に記述するだけでは、現実を捉えることはできないということだ。私が生きる現実は、私を超えたものとの関わりのうちにある。[16]

さらっと書かれている文章だが、「私を超えたもの」を信じることは難しい。結局、現実は「多様で動的」であることを理解できれば、次の瞬間「現実を超える」出来事が起こりうることも――現にコロナパンデミックは起こった――受け入れられるのではないか。これは「想像力」を持って生きることとの重要性をも指し示している。磯野は、狩猟採集民ヘヤーのフィールドワークを行った文化人類学者の原ひろ子の研究に言及しながら、幼い子どもたちが「危ないことに挑戦する」ことで生活のなかに潜む「危険とともに暮らす術《すべ》」を身に付けつつ、「水の深いところ」には怪物が住んでいるという神話を根拠にしてリスクヘッジもするという想像力の豊かさを紹介している（『他者と生きる』、二一六～二一七頁）。

ＳＦ小説の旗手で、「イマジネーションの文学」の書き手としても知られるル＝グウィンは、想像力を「究極的に最も深く、人間的な力のひとつ」として擁護した（『夜の言葉』[17]）。他方で、ル＝グウィンはアメリカ社会においては、まさに女性的な性質と結びつけられる「想像力」が、男性中心社会によって排斥されてきたことを見逃さない。

> アメリカ人男性は大人も子どもも、通常、われわれの文化が〝女性的〟〝子どもっぽい〟と規定するある種の特質、天賦の能力、潜在的可能性を拒絶することにより自らの男らしさを定義すべく強いられています。そうして、おそるべきことに、想像力という、人間にとって絶対不可欠な能力も、この排斥さるべき可能性ないし特質のひとつに入っているのです。（同、八五～八六頁）

ル＝グウィンは、大多数のアメリカ人男性が、「知的感覚的な精神の自由なあそび《フリー・プレイ》」である想像力を「抑圧」することを学んできたと指摘している。彼らがいかに想像力を、何か「女々しい、子どもじみた、益のない、そしておそらくは罪なこととして拒絶することを学んできた」かについて語っている。男らしくないという理由から「フィクション」や想像力の産物であるファンタジーやＳＦ小説を避けるタイプの読者は、スポーツやポルノグラフィーといった「まやかしのリアリズム」に逃避するのだという（同、八八頁）。ここで彼女は「ル＝グウィンの法則」、つまり「ファンタジーとお金は反比例する」という事実を指摘しながら、ファンタジーやSF小説を含む「日常意識と狂気のはざまに位置する作品群における想像力の効用」について強調している（同、九一〜九二頁）。トールキンのSFファンタジーに描かれるホビットの世界は「社会的地位や物質的成功、収入」とは関係ないと言いそうな世の男性たちに対抗するため（同、九〇頁）、彼女は「ちょっと経済学をはなれて、もうひとおし考えてみてください」と提案している（同、九一頁）。相手が自分とは完全に異なる存在——すなわち他者——であると認識した場合の問題点をル゠グウィンは物象化、あるいは「〝物〟にしてしまった」こととして批判している（同、一八〇頁）。この点は、先述したハラウェイの意味転換された「サイボーグ」たちの存在とも重なるだろう。

キャロル・ギリガンも『もうひとつの声で』で、思いやりという〝女性的〟な特質が〝想像力〟と同じようにその「価値を低く見積も」られてきたことを指摘している。「男性のライフサイクルにおける女性の地位は、〔これまでずっと〕養育者であり、世話をする人であり、内助者であり、自らもあてにするネットワークの織り手であった」（『もう一つの声で』、八四頁）。これは性役割のステレオタイプの研究にも表れているとギリガンは指摘している。近代以降の西洋社会においては、「自律的に思考できる能力、明快な決断、責任を果たす行動——が、男性性と結びつくものであり、女性自身の属性としては望ましくない」と見なされている。そして「他者とのつながりよりも、他者から分離している個人をよしとし、愛とケアの相互依存よりも、自立的な仕事の生活を志向する」成人の概念が重用されている（同、八五頁）。

前章でも論じたが、女性的とされる〝想像力〟と〝思いやり〟が軽視されてきたことを改めて見直したSF映画は、『マッドマックス　怒りのデス・ロード』だけではない。『インターステラー』でも、少女マーフは部屋で起こるさまざまな不可解な現象を客観的に俯瞰して、そこに「人間」の意図がないか知識を総動員する一方で、成長して研究者になった二十三年後のマーフは人間の理解の範疇《はんちゅう》を超えることが起こりうることに気づいている。地球の重力を元に戻し、人類を安全な場所に移動させるための数式の半分はブランド教授の計算式によって解が出ていた。あと残りの半分、未知の世界（ブラックホール）からの量子データの解析という、想像力に頼らなければ出てこない解をマーフは父親の助けを借りて見つけ出すのだ。これこそが、ル＝グウィンのいう「想像力という、人間にとって絶対不可欠な能力」である。地球上の人々を「置き去りにする」（客観的データに基づく判断）か「置き去りにしない」（想像力を駆使して新たな現実を模索する判断）かの間で揺れる物語でもある。物事の効率や成功の確率を計算して、自律的な判断を下すのであれば、ブランド教授のように、「置き去りにする」判断を下すだろう。しかし、もし彼にマーフのような想像力が欠片《かけら》でもあったなら、人類を「置き去りにしない」可能性をもう少し辛抱強く模索し続けたかもしれない。これはジョン・キーツのいうところの「ネガティヴ・ケイパビリティ」である。知性や論理的思考によって問題を解決してしまう、解決したと思うのではなく、そういう状態に心を導くことをあえて留保する能力を指す。第一章で述べたようにキーツは、ロンドンの病院で医師となるべくトレーニングを受けていた。人の命をあずかる仕事を途中で諦めて詩人になったのだった。

彼は、患者の術後の経過を見守りながら、回復するかに見える状態が次の日には悪化することもあると知っていた。患者のそういう病状や苦悩に寄り添いながら、じっと見守る営為を積み重ねていたキーツだからこそ、二つの可能性の間で即座に答えを出さないで耐え抜く価値を見出すことができたのかもしれない。

それでは、なぜブランド教授もマン教授も、想像力を総動員する道を選ばず、自律的で閉じられた解（他者の意見に耳を傾けない方法）に頼ってしまったのだろうか。おそらく彼らは近代的「自己」を保つよう周りに期待されてきたのではないだろうか。『アダム・スミスの夕食を作ったのは誰か？』の作者でスウェーデン出身、イギリス在住のジャーナリスト、カトリーン・マルサルは、このような近代的「自己」をめぐる問いに対してひとつの答えを用意してくれている。

愛情やケアを保護したいなら、経済から締めだすかわりに、きちんとお金とリソースを提供すべきだったのだ。何が人の暮らしにとって大切なのかを考え、それに合わせて経済を築いていくべきだったのだ。でも私たちの社会は、その逆のことをした。

私たちは、経済の論理に合わせて、人のかたちを変えてしまった。[18]

アダム・スミスが人間の欲とエゴは「見えざる手」によって調和と均衡へと変容するという考え方を打ち出したように、初期の経済学者も人間の利己心がこの世界でうまく機能すると信じた。果たして、本当にそうだろうか。利己心を追求することで「人の暮らし」を守る倫理観や責任感が生まれるものだろうか。十九世紀フランスの政治思想家アレクシ・ド・トクヴィルは、「静穏な思慮ある感情」たる個人主義を「利己主義」から区別した。彼にとって利己主義とは「偏執的で度を越した自己愛であり、何ごとをも自分の利にのみ関わらせ、すべてを措いて自己を選ぶ態度に人を導くものである」[19]。ブランド教授のラザロ計画は、人類の「種」を保存するためなら人の生命の犠牲さえ厭《いと》わないという「正しさ」、あるいは一種の自己愛の表れとも解釈できる。「種」の保存は、一見利他的な態度をうかがわせるが、机上の空論である可能性のある計画のために人々の暮らしを壊してもよいという恣意的な立場であることは疑いない。人間や生物の生存のために経済学、統計学、物理学があるべきで、それと反対の目的のためというなら本末転倒であろう。

マルサルは、いわゆる「経済人」が思い描く幻想を打ち砕かなければ、今の社会の状況はよくならないと主張する。彼女は、アダム・スミスも、また今日における「経済人」も、サイボーグ的な役割を担ってくれる人たち——多くが女性である——のおかげで、経済的な報酬を手にすることができている事実に目を向けている。「経済学の描く個人は体を持たない理性であり、そのため性別がない」(『アダム・スミスの夕食を作ったのは誰か?』、五八頁)とされているが、じつはその個人の性質は、「伝統的に男性のものとみなされてきた性質」であり、それは「合理的で、冷淡で、客観的で、競争を好み、非社交的」で、「自分の欲しいものが正確にわかっていて、勇ましくそれを取りに出かけていく」(同、五九頁)。これらはすべて「合理的で冷淡」なブランド教授や、クーパーを殺害しようとしてまで宇宙船を奪ったマン教授の特徴と合致する。『ソラリス』でも、亡き妻ハリーの存在を必要としたケルヴィンもまた「経済人」的な側面を持っているのかもしれない。しかし、忘れてはならないのは、このような経済人たちはみな「献身とケアを担当する人の存在」を頼りにしなければ生きていくことができないことだ(同前)。

アダム・スミスは『道徳感情論』と『国富論』という大著を残しているが、後者では、利己心こそが経済を動かしていると確信していた。スミス自身もその経済活動に参加し、財産も相続していたわけだが、生涯独身であった彼の生活の一切合切を世話したのは母親のマーガレット・ダグラスであった。[20] マルサルは、アダム・スミスのような白人男性が経済人の完璧なモデルであると述べている。そしてもう一人、忘れてはならないフィクションの登場人物がいるとマルサルはいう。イギリスの作家ダニエル・デフォー(Daniel Defoe, 1660-1731)が『ロビンソン・クルーソー』(*Robinson Crusoe*, 1719)で描いた経済人である。

哲学者の鷲田清一《きよかず》によれば、近代的な主体は、同時に「不安定な世界」を忌避する存在でもあるというが、ロビンソン・クルーソーはその世界を可能なかぎり所有物で満たそうとする。鷲田は、近代の自由な主体がなぜ「所有する主体」として規定されることになったのかという問いを立て、その理由を次のように著している。

近代の市民社会を構成する「自由で独立した主体」であるということは、何よりも、さまざまの偶然性もしくは予測不可能性に左右される不安定な世界のなかで確実に身を保つために必要なものを、身のまわりに取り集め、それらを工作し、操作し、それらをレギュラーで安定的な環境世界へと改変してゆく算段ができているということであり……。[21]

『ロビンソン・クルーソー』では、近代黎明期に誕生した物語に、不安定な状態が「設《しつら》えなおされた環境世界、つまりはテリトリー」（同前）がユートピア的に描かれている。主人公は、航海中に大嵐に見舞われて無人島に一人漂着し、その後、この島で二十八年間過ごすのだが、彼の振る舞いがまさに「経済人」そのものである。彼が漂着してすぐ、この島の不安定な環境に順応するため「確実に身を保つために必要なもの」を船から運び出す場面はその典型例として挙げることができるだろう。

この防壁あるいは砦のなかに、途方もない苦労の末、前に説明したぼくの全財産、食料、武器、所有物のすべてを運びこみ、大きなテントを張った。ここでは一年のある時期に雨が激しく降り注ぐので、濡れないよう二重にした。小さい方のテントの上に大きい方のテントを張り、さらに帆と一緒にしまっていたタール塗りの大きな防水布で上を覆った。（『ロビンソン・クルーソー』）[22]

無人島に漂着した後、いつ獣や「野蛮人」に襲われるかわからない不安定な状況のなかで、文明の遺産ともいえるこれらのモノ――全財産、食料、武器、所有物のすべて――を自分の栖《すみか》とする場所に運びこみ、それらのモノとともに自らを閉じ込めている。

文学研究者によってのみならず、最近では経済学者によっても、ロビンソン・クルーソーは近代社会において支配的となった「合理的経済人[23]」、あるいは「経済人」のモデルと見なされるようになった[24]。彼は、「カカオの木と、オレンジ、レモン、シトロンの木が豊富に生えてい」る景色を眺めながら、「これは全部ぼくのものだ。ぼくはこの全国土の絶対的な王であり、支配者なのだ。所有権はぼくにあるのだ」(『ロビンソン・クルーソー』、一四六～一四八頁)と高らかにいう。

ロビンソン・クルーソーの物語の背景には、ちょうど王侯や貴族の伝統的地主層の利害と新興の産業市民層の利害が拮抗していた十七世紀のイギリス社会があった。「不合理な旧習から解放された現代の起業家」であるロビンソン・クルーソーは、自分を「王であり皇帝」に喩《たと》え、「誰にも指図を受けない」ことを誇りにしている(『アダム・スミスの夕食を作ったのは誰か?』、三九～四〇頁)。この経済人は「合理的で利己的で、環境から切り離され」ているのだ(同、四一頁)。

しかし、彼らが環境や他なるものから「切り離されている」というのは幻想に過ぎない。というのも、ロビンソン・クルーソーが象徴する経済人は、マルサルの言葉を借りれば、「別の人の存在を前提にしていた」からだ。つまり「献身とケアを担当する人の存在がなければ経済人は成り立たない」(同、五九頁)。多くの女性、従者、使用人たちが引き受けてきたケア労働や配慮は長い歴史においても見えなくされてきた。ロビンソン・クルーソーが、近隣の島で捕らえられていた捕虜の一人を救い出し、フライデーと名付け、従僕にすることを決意したのは、そのことを痛感したからにほかならない。彼は、「野蛮人を養」って、「やつらをぼくの完全な奴隷にし、命令をなんでも聞くように」しようと考えたのだった（『ロビンソン・クルーソー』、二八二頁）。また、カヌーづくりに際しては、フライデーの「重労働」なくしては不可能であった（同、三二四頁）。

ロビンソン・クルーソーの物語を介して、人間はモノに対してだけでなく、人間に対しても「所有」という関係を持ちうる、あるいは道具化しうることを確認できる。そしてその場合、その人間は「超越者」[25]（「所有と固有」）と呼ぶべき存在であるという鷲田の指摘は示唆に富んでいる。ロビンソン・クルーソーは、単なる経済人なのではなく、近代的自己に特徴的な「固有性」という幻想を見続ける「超越者」なのかもしれない。彼は夢想する。「いまやぼくの島は人口が増え、すごく家臣に恵まれた気分になった。それで何度もこんなふうに考えて、ぼくは楽しんだ。すっかり王様になったみたいじゃないか。第一に、この土地はすべてぼくだけの所有物だった」（『ロビンソン・クルーソー』、三四四～三四五頁）。彼の世界観が実はフライデーたちのケア労働に支えられているという視点は、改めて補完されなければならないだろう。[26]『ロビンソン・クルーソー』だけでなく、『インターステラー』も骨折りな労働の実践を引き受けざるをえない、周縁化されてきた人々――歴史的には奴隷、従者、女性などの周縁に置かれてきた人々――の物語としても読むことができる。ここで再認識できるのは、男性の声が「人間の声」として措定されてきた西洋近代社会において、多くの女性がケア実践を「押しつけられ《エンフォース》」、見えなくされてきたように（『もうひとつの声で』、七頁）、被植民地の非白人たちの労働もまた透明化されてきたということだ。[27]

4 「他者」の物語——マーガレット・アトウッド『侍女の物語』

二〇一九年に二回目のブッカー賞を受賞したカナダの作家マーガレット・アトウッド（Margaret Atwood,1939-）によるＳＦ小説『誓願』（*The Testaments*）は『侍女の物語』（*The Handmaid's Tale*, 1985）の待望の続編である。三十四年もの年月を経て刊行された続編とあって、ロンドンで行われた出版記念イベントは世界中の千以上もの劇場でライブ配信され、その反響は他に類を見ないほどであった。[28]『侍女の物語』と『誓願』のいずれにも、ハラウェイの「サイボーグ」やル＝グウィンの「想像力」に通底する物語が語られている。

アトウッドはディストピア小説『侍女の物語』をジョージ・オーウェルが『一九八四年』の舞台とした一九八四年に構想し、その翌年に刊行した。キリスト教原理主義のクーデターにより独裁政権になったギレアデ共和国（かつてのアメリカ）という、徹底した男尊女卑を人々に強制する異常な社会が描かれている。環境汚染の影響で出生率が低迷しているため、妊娠可能女性は「司令官」と呼ばれる富裕層の家庭で子どもを生む道具にされている。ＳＦ世界というものは単なる想像の産物であるといってしまうこともできるが、「私が生きる現実は、私を超えたものとの関わりのうちにある」という宮野真生子の言葉を思い出すならば、アトウッドの捉えた現実の延長線上に彼女の描いたディストピアがある。彼女のSF小説は、最低限の市民的権利をも剝奪された、たとえば、オングが語る東南アジアの女性たちの物語だけでなく、女性が自分の「からだ」に関する決定権を持てなくなるという危機感が蔓延していた一九八〇年代のルーマニア社会をも彷彿とさせる。彼女がこの作品執筆に着手した頃、ルーマニアで中絶と避妊が非合法化されていることを新聞記事で知ったからだろう。

女性の「からだ」や労働力が社会に不当に包摂されてしまう問題をもっともリアルに描けるのは全体主義の世界を舞台としたときである。そして、アトウッドはそれを恐るべき解像度で描いてみせた。二〇〇六年のインタビューでアトウッドは、全体主義がアメリカで実現するとしたら「神政国家（theocracy）」になると答えており、それが彼女の創作の原点になったという。[29] 当時もアメリカが「神政国家」になりうるというリアリティはあったが、[30] それは今も、妊娠中絶や同性婚に否定的なキリスト教福音派の教義がますます支配力を強めてきているという問題に繫がる。アメリカでは一九七三年に連邦最高裁判所によって女性は妊娠中絶をする権利が認められるようになったが、二〇一九年には全米九つの州で中絶を禁止、あるいは制限する法律が可決成立し、管理社会への危機意識が高まった。生殖に関して女性が選択する権利が脅かされる現在のアメリカでは、『侍女の物語』はもはや「ありえない架空のディストピア」ではなくなってきている。[31]

この小説の着想のもととなったのは、（諸説あるが）彼女の先祖で「魔女」として迫害された

「メアリ・ウェブスター」という女性の人生である。彼女は一六八四年にフィリップ・スミス裁判官に首吊りの刑に処せられたにもかかわらず、奇跡的に生き残った[32]。十七世紀にアメリカに移住してきたアトウッドの先祖であるイギリス人たち[33]（特に女性たち）は、規範から外れる行動をすると、集団から疎外されたり、「魔女」として処刑されたりした。『侍女の物語』の舞台をアメリカにしたのは、その過度にピューリタン的な伝統を批判する意味も込められていたからだ。この小説は、国家権力の介入の一例として「代理母」に言及している[34]。ギレアデ以前の旧社会にも存在したが認められていなかった「代理母」がこの小説でなぜ合法化されるのかというと、それもやはり「神政国家」に関係している。

一九八〇年代当時、まさに生殖に関する女性の選択権をめぐって論争が繰り広げられており、作品中の登場人物たちでいえば、「侍女」の「からだ」は誰のものかという議論にも通じるだろう。前近代的な魔女狩りは二十一世紀にも起こったとアトウッドはいう。トランプが選出された大統領選挙以降にヒラリー・クリントンに対する悪口が集中した現象のことだ。「ヒラリーが悪魔の力を持った悪魔崇拝者だというウェブサイトもある……これがあまりに十七世紀的なので信じられないけれど[35]」。ファンタジー作品に「魔女」を連想させる「侍女」が描かれることで、長い歴史のなかに刻まれてきた「他者性」のイメージが喚起される。

この物語では、女性は「他者」、あるいは「サイボーグ」的〝生〟を象徴している。司令官の子どもたちの教育係である〈小母〉や家政婦の〈マーサ〉といった役職についている登場人物たちもみな財産、家族や名前を奪われ、司令官にかしずくことを宿命づけられている。語り手で侍女の「オブフレッド（Offred）」も、フレッドという司令官のものという意味で、「所有」に由来した名前である。オブフレッドは、自分の名前のみならず、家族からも引き剝がされ、快楽も剝奪されている。英文学者の加藤めぐみは、侍女のセックスが出産のみのために存在するという「性的快楽の制限」を、ジョージ・オーウェルが『一九八四年』に描いた「結婚・セックスの目的」が党に奉仕する子どもを作ることに限定される全体主義国家に重ねている。[36] ハラウェイ的「サイボーグ」によるエンパワメントを考える上で、この指摘はきわめて重要である。オブフレッドは性的に搾取されながらも、「自己犠牲」というイデオロギーには染まっていない。その証拠に、彼女はときどき心のなかで賛美歌を口ずさむ（『侍女の物語』、一〇五頁）。

大いなる慈悲《アメージング・グレース》、その甘い調べは
わたしのような哀れな者も救いたもう
道に迷っていたが、道を見つけた
足枷《あしかせ》に繋がれていたが、今は自由だ

オブフレッドは「自由」という言葉は「危険すぎるとみなされている」ため、声に出して歌うことはしないが、心のなかで歌っている間「自由」について考えることができる。この小説に登場する女たちは皆それぞれ何かしらのケアを担っている。しかし、「サイボーグ」たる他者である女性と、特権を持つ司令官の妻たちの間には天と地の差がある。妻たちは病気に罹《かか》っても生活を楽しんでいる。なぜなら、お互いに見舞いに行くという口実で、食べ物を持って「夜にひとりで外出でき」るからだ（同、二八〇頁）。他方、ケアを担う侍女や〈マーサ〉（家政婦）たちは「できるだけ病気にかからないように」している。なぜなら、妻と彼女たちの間には非対称な関係があるからだ。侍女が病気に罹ると、追い出されたり、「命取りになりかねない」ため、その状態が露見しないよう「ふらふらしながら働」くしかない。コーラという侍女が流感に罹っても「できるだけ咳をしないように気をつけていた」のをオブフレッドは目撃している（同前）。ケアの恩恵を享受できる司令官の妻たちと比較すると、侍女たちは性的に搾取されていても無力で抵抗できず、かつ一方的に「ケア」を求められる存在であるといえる。

しかし、この小説にも、想像力によるエンパワメントが描かれる。かつては図書館に勤め、言葉に思い入れのあるオブフレッドが司令官の家の押入れの壁に刻まれた「奴らに虐げられるな」という文字を発見するとき、一人の女性の苦悩が女性たちの連帯へと開かれる兆しが現れる（同、三四四頁）。そして、ハラウェイが言祝《ことほ》いだ「他者」の言葉の力、生存する力が示される。

わたしはブロック体でその文句を注意深く書く。頭のなか、部屋のクロゼットのなかから、そのまま書き写すように。Nolite te bastardes carborundorum. 今こうして見ると、それは祈りでも命令でもなく、なぐり書きされたまま忘れられた悲しい落書きにしか見えない。指にはさんだボールペンの感触は気持ちよく、まるで生きもののように感じられる。わたしはそのパワーを、それが持っている言葉のパワーを感じる。「ペンは嫉妬を生みます」とリディア小母はそういうものからわたしたちを遠ざけようとしてセンターの別の標語を引用して言った。あの言葉は正しかった。ペンは嫉妬を生むのだ。それを握れるだけでも羨ましい。(同、三四二頁)

ここに、アトウッドの「言葉のパワー」に未来を託す気持ちが込められている。彼女が、オーウェルが『一九八四年』で描いた未来社会を意識していたことを踏まえると、その理由も腑に落ちる。オーウェルの小説世界は絶望的だと考えられがちだが、アトウッドはそのことに異を唱えている。なぜなら小説最後の「付録・ニュースピークの諸原理」は旧社会の言葉——オールドスピーク——で綴られているからだ。言葉の豊かさが削り取られたニュースピークという言語が人々の間に次第に流通するようになっていた全体主義の世界とは異なる未来が待っていることが明かされている。アトウッドもオーウェルと同じことを『侍女の物語』の巻末に附された「注釈」で示している。そこには、「ギレアデ研究の第十二回シンポジウム」(同、五三九頁)が開かれたとされ、その登壇者たちがオブフレッドの声をたしかに聞き届けている場面が描かれるのだ。

5　女性の連帯――アトウッド『誓願』

続編の『誓願』にはギレアデにより人生を変えられた女性三人が登場する。そして、『侍女の物語』に続き、やはり「言葉のパワー」への期待がこの三人の語り手に受け継がれている。まず一人目はカイル司令官の家庭に育ったアグネス・ジェマイマ。二人目の語り手は、カナダの古着屋の娘として育ったデイジー。デイジーは『侍女の物語』の最後で逃亡したオブフレッドの忘れ形見として生き延びた。（『誓願』[37]）彼女を育ててくれたメラニーとニールが不可解な死を遂げたことで、彼女は危険に満ちた冒険に乗り出すことを余儀なくされる。『侍女の物語』のオブフレッドは常にギレアデ国から逃れることを目指していたが、デイジーの視点はギレアデ国の外の平穏な生活を起点に、彼女の出自（のちに彼女の正体は実はギレアデの広告塔で、反ギレアデにとっては自由のシンボルであったことが明かされる）によって次第に不穏で危険な展開に巻き込まれていく。そして、三人の語り手のなかでひときわ存在感を放つのが「〈創始者〉のなかでもいちばん偉い」と恐れられているリディア小母である（同、三二二頁）。ギレアデ国の女性幹部の聖域であるアルドゥア・ホールの最高権力者で、小母や侍女を「教育」し、処罰を与える女性統制機関で指導者的役割を担ってきた。『誓願』は、ある意味でギレアデ国の解説書にもなっている。リディア小母を主たる語り手に据えたことによって、家父長制的な全体主義体制をより強固なものにした裏舞台の秘密を、その視点から俯瞰的に眺められるようになっている。いってみれば、女性を〝レイプ〟することを合法化するような恐ろしい国家支配を下支えする集団が、同じ女性によって統制されていたというカラクリが明かされるのである。リディア小母たちが立ち上げた〈ラケルとレアのセンター〉は小母たちが「彼女〔侍女＝引用者注〕のことを祈り、まずは説諭して、改心の余地があるか探」る場所であるが（同、一三〇頁）、その「ラケル」の名の由来は、聖書の創世記に登場するヤコブとその妻ラケルである。ヤコブとの間に子どもができなかったラケルは自分の女奴隷にヤコブの子どもを生ませ、自分の子どもとしたという逸話を、ギレアデ国が利用しているのだ。

一人目の語り手であるアグネスは、「母や父から引き離された大勢の子どもたちのなかから」タビサという司令官の妻によって選ばれ、彼女の家庭に迎え入れられた（同、一二三頁）。しかし、病弱だったこの優しい「母」タビサは他界し、ほどなくして「父」である司令官はポーラという女性と結婚する。義母ポーラは、司令官との間に子どもを欲したため侍女を求めた。ポーラや家政婦の〈マーサ〉たちに時折向けるアグネスの不信感は、『侍女の物語』のオブフレッドの敵意の感情とも重なるが、自分を養女として迎え入れてくれたタビサがどれほどいつくしんで育ててくれたかも描いている。ギレアデ社会で白眼視される侍女オブフレッドの視点から語られるとき、家政婦の〈マーサ〉という役職についている登場人物は多かれ少なかれ類型化されていたが、アグネスの視点から語られるとき、彼女たちの日々のケア実践が生き生きと浮かび上がる。「キッチンに入り浸って、〈マーサ〉たちがパンやクッキーやパイを焼いたり、スープやシチューを煮たりするのを眺めた」

（同、三〇頁）。彼女の家にいたのは「ヴェラ、ローザ、ズィラ」で、三人も〈マーサ〉がいたのは父親の地位が高かったからだ。ズィラは話し方がやさしいので、アグネスのお気に入りだった。それに引き換え、ヴェラはしゃがれ声だったし、ローザはいつもおっかない顔をしていた（同、三一頁）。「おっかない顔」をしたローザでさえ、「わざとやっているわけではなく、生まれつきそういう顔だっただけ」（同前）とアグネスは自分をケアしてくれる〈マーサ〉たちに好意的な感情を持っている。

『侍女の物語』では、司令官、すなわち支配者層の人間たちに強制的に奉仕させられている「サイボーグ」的な女性は侍女だけであり、オブフレッドの教育係でもあったリディア小母はあくまで支配者層の肩を持つ恐ろしい登場人物として描かれ、その人間性が語られることはなかった。それにより、リディア小母はハラウェイのいう「男性至上主義的な恐怖をいだかせる性悪な母」というイメージから脱しなかったが、『誓願』は三十年以上も経って書かれた続編であるがゆえに、また侍女以外の人間が語り手となることで、ギレアデ国家に与《くみ》した女性たちの物語にも生命が宿り始めるのである。『誓願』では、すなわち「他者」という視点が拡張されている。ある意味で「サイボーグ」の語り直しが行われているともいえ、もっとも恐れられていたリディア小母こそがハラウェイの「生存を教示し、起源において読み書きに秀でた母」というマリンチェ的な助力者であったことが明かされるのだ。リディア小母でさえも司令官たちに「以前の人生で教えられてきたものをことごとく裏切り、達成してきたものすべてを裏切る」ことを強いられていたことが判明する。彼女もまた「自分たちが作りあげている社会機構を憎んでいた」。それでは、なぜ自ら支配者たちに助力し、かしずいたのか。それは、「ギレアデの多くの人々と同じ理由で、みずからを忠義者とみなした方が「危険が少ない」」からだ。おそらくマリンチェと同じように、リディア小母もまた支配者に屈しながらも、生存することを選択したのだった。「信者面をして猫なで声で褒めそやし、ヘイトを煽る群衆のなかに」消えることを選択したのは、「少なくとも、生き残る確率を考えれば、その方が良い」と判断したからだ（同、二五二頁）。明らかに「正しい」選択ではないが、生存をかけた、自らの生命を守る、そしていずれは他者の生命を守るための〈ケアの倫理〉を優先させる選択である。

リディア小母自身も、その実、侍女と同じように強制的に「サイボーグ」的役割を担わされていたというオルタナティヴな真実が語られる。その過程で、彼女の等身大の姿が生き生きと描かれるが、他方で、壮絶な過去も明らかになる。『侍女の物語』では血も涙もない冷徹な人間であるかのように語られていたリディア小母も、「地獄」を経験するなかで「弱みひとつ見せなかったわけではな」く、残虐行為の「事後に嘔吐してしま」うことさえあった（同、二四二頁）。このような描写に触れて、読者はギレアデの社会を支えていた女性たちとの精神的距離がぐっと縮められるのを感じる。少なくともリディア小母は、司令官やその妻たちの味方でありながらも、アグネスやデイジー（逃亡者ジェイドを経て〈幼子ニコール〉）のような未来を担う少女たちに助力するケア提供者になる準備を着々と進めていた。

〈マーサ〉との違いは、小母たちは「字を読む」ことができる点にある。そして、〈マーサ〉たちはそれを必ずしも妬んだりしていない。むしろ、小母たちの役割を「いわゆる汚れ仕事」だから「嫌な仕事」と憐れんでもいる。ズィラは「パイ生地をこねながら、穏やかな口調で」こう言った。「だから、わたしたちはやる必要がないんです」（同、三三三頁）。アグネスは〈マーサ〉たちが小母の存在をけなした後、それでも「わたしはアルドゥア・ホールという世界に惹かれてやまなかった」と密かに思っている（同、三三四頁）。言葉の力を持つ小母たちもみんなこの場所に住んでいる。両親を失い、司令官の家庭に引き取られ、その後義母ポーラに厄介者扱いされるようになったアグネスにとっては、アルドゥア・ホールに住み込んで言語を習得することこそ救いになった。彼女の「文章を読む技術はゆっくりと、散々つまずきながらも進歩して」いく（同、四一八頁）。

ギレアデ国内では「筆記用具は司令官と小母がもつ特権の象徴」（同、四二〇頁）であることも関係があるだろう。『誓願』において「書くこと」と「読むこと」という言葉に何度も繰り返し言及されるのも、支配者たちにかしずくふりをするリディア小母、アグネス、デイジーたちがいかにペンを持ち、反逆する機会をうかがうようになっていったかという闘争の歴史を示唆するからである。『誓願』の語り手たちがジャド司令官やグローブ歯科医ら男性権力者による虐待や性暴力について幾度となく告発するのも、言葉の力による。「女性は筆記用具に用がない」（同前）という言葉からも分かるように、ギレアデでは女性は（小母にならないかぎり）、文字を読んだり書いたりする教育を受けることができない。アグネスが小母になることをめざす大きな理由は言葉が持つ力を熟知していたからだろう。

『誓願』のもうひとつの新しいテーマは女性の連帯《シスターフッド》である。オブフレッドの『侍女の物語』は、ある意味で孤高の闘いだったともいえる。侍女を集めて教育する「センター」でオブフレッドが連帯を感じていたモイラが脱出してしまうからだ。このように、『侍女の物語』のシスターフッドの物語の芽は比較的早い段階で摘まれてしまっている。オブフレッドは司令官のもとに送り出されてからはずっと孤独であった。夜、司令官の部屋に招き入れられて彼と「スクラブル」(文字を組み合わせて単語をつくるボードゲーム)をするときも、あるいは乾燥肌に使うクリームをこっそり手渡されるときでさえも、彼に対して警戒心を解いたことはなかった。また、子作りをする必要に迫られて「ロマンスぬきで」(『侍女の物語』、四八〇頁)危険を顧みずにセックスをするようになった司令官の運転手ニックに対しても、「ここまで彼を信用するようになったこと自体が無謀なのだ」(同、四九〇頁)と不安感を募らせている。他方、『誓願』では、女性同士の関係性が何よりも前景化される。デイジーはオブフレッドとは反対の経路をたどり、逃亡者ジェイドに扮装してギレアデに乗り込むのだ。のちにアグネスとともにリディア小母の遺志を受け継いで、命を危険に曝《さら》して外の世界に逃れ、ギレアデの真実を身をもって伝達する役割を担う。

ギレアデの人々にキリスト教原理主義を刷り込んできたリディア小母自身の信仰心はそのじつ仮面のように、彼女の反逆心を偽装するためのものだった。彼女の手記からは、利用できるものは何でも利用する現実主義者という人物像が浮かび上がる(『誓願』、一六五頁)。たしかに宗教が果たす偽善的な役割は暴露されているが、宗教に対してシニカルな視点しか描かれないというわけでもない。[38] 善か悪かという道徳倫理では割り切れないさまざまな感情や駆け引きが錯綜するリディア小母の手記は、他でもない我々「読者」に向けて綴られており、キリスト教原理主義的な考え方はかえって根幹から揺らいでいる。そしてその契機となったのも、言葉が生み出す力である。アグネスも「読み書き」を学ぶ過程で旧約聖書に用いられる「〝慈愛〟は本当に〝信仰〟よりすぐれているんだろうか?」「愛は死と同じぐらい強いの?」という疑問を持ったりしている（同、四二〇～四二一頁）。アグネスが自問自答するこのような言葉に関する問い、そして言葉を実践へと駆動させる思考力こそ、のちに彼女がリディア小母の使命を受けて困難の多いミッションを遂行する力の源泉となっている。アトウッドが三十年以上の月日をかけて二作品を生み出すことで実践したのは、まさにハラウェイが再評価したマリンチェに関する語り直しを彷彿とさせる。

その長い歳月のなかで、現実社会も変容した。世界各国で女性の権利が脅かされている問題が #MeToo 運動によってようやく可視化されるようになった。それでも、トランプ前大統領は就任後すぐに海外で人工妊娠中絶を支援する非政府組織（ＮＧＯ）に対する連邦政府の資金援助を禁止する大統領令に署名し、二〇一八年には、性的暴行疑惑があるブレット・カバノーを連邦最高裁判所の判事に指命した。二〇一九年五月にアメリカで中絶規制の動きが強まったときには、この状況に堪え兼ねた女性たちが赤い服に白い帽子の「侍女」の装いで抗議デモに参加した。これは、反逆の象徴としての「侍女」がいかに人口に膾炙《かいしゃ》し、いかにシスターフッドが重要かをメディアの報道を通じて世界中に印象づけた。[39]しかし、二〇二〇年には、トランプが連邦最高裁判事に指名した保守派のエイミー・バレットの人事が承認され、アメリカは急速に保守に傾いている。二〇二二年四月にバイデン大統領が指名して黒人女性で初めての連邦最高裁判事に承認されたケタンジ・ブラウン・ジャクソンの存在は大きいが、保守が六人、リベラル三人という割合は変わらないままだ。このように、現在のアメリカでは、「侍女」たちの物語はもはや「ありえない架空のディストピア」ではなくなってきている。現実社会の写し鏡としても、また未来を照らし出す光としても、『誓願』というSFの物語は書かれるべくして書かれたといえる。

最後に、『インターステラー』で引用されたディラン・トマスの詩「あのやさしい夜の中へおとなしく入ってはいけない」という言葉を振り返ってみたい。この言葉を引用するのが、近代的「自己」を体現する、しかも特権的立場にいるブランド教授であることは注目すべきだろう。トマスは、死にゆく自分の父親にこの言葉を向けていたが、ブランド教授は地球上で生き延びようとする同胞の人々にではなく、まだ生まれてもいない人類の「種」に向けていた。すなわち、トマスがおそらく意図していたような死との闘争を誤読している。トマスは今生きている父親がやすやすと生命を手放すことに異を唱えているからだ。彼の「死滅してゆく光に向って　怒り狂え　怒り狂え」という言葉は、実際に人類の生命をケアするために手を尽くしたクーパーやマーフたちが表現していた感情に近いという点で、ノーラン監督の皮肉も見え隠れしている。ここで浮かび上がるのは「他者」という視座である。ハラウェイの「サイボーグ」とは、機械支配が実現するSF的な未来を意味しない。SF世界を彷彿とさせるような現実世界においてこそ、特権を有する人々の生活が「他者」に支えられているという事実に目を向けるべきという視点である。またアトウッドのディストピア小説では、支配者に奉仕させられる侍女、〈マーサ〉、小母たち、そして少女たちの「他者」の物語が語られることによって、彼女らがそれぞれ壮絶な葛藤を抱えつつ、倫理的な判断を迫られる現実が浮かび上がる。

ル＝グウィンが人間にとって不可欠な要素として想像力を擁護したのは、相手が自分とは完全に異なる存在である場合、その「他者」をモノとして扱ってしまうという問題に真摯《しんし》に向き合っていたからだろう。それは、想像力こそが人間を人間たらしめるというメッセージだったのではないか。「ソラリスの海」という明らかに人間ではない〝物〟でさえ、「他者」化を免れている世界をレムが描いていることも、人間の想像力の無限の可能性を豊かに示唆している。クーパーもケルヴィンも慣れ親しんだ地球の（つまり人間の）視座からものを考えるあまり、「ガルガンチュア」や「ソラリス」といった「他者」の〝言語〟――後者の場合、大切な人に擬態するということ――を理解することができない。

ハラウェイの「他者」論は、長らく理解の範疇を超えている「他者」の視座から世界を眺めてみようという試みであり、アトウッドも「自己」中心的な視座を問い直し「他者」こそが「未来を握る者」であるという考え方を提供している。サイエンスフィクションは、視座をいったん「自己」

から引きはがして外に向けていく力、そしてそこで見出された「他者」の重要性を言葉で表現する力を備えているといえないだろうか。

第四章　〈有害な男らしさ《トキシック・マスキュリニティ》〉に抗する文学を読む

1　犬の魂と「男らしさ」——大江健三郎『万延元年のフットボール』

「そろそろ出てくると思ったんだが」フィルは言った。

　ふたりはさらに二本の棒をどけた。二本目を動かしたとき、不安定だった〔木の棒の＝引用者注〕山がジャックストロー遊びの大きな木切れの山のように崩れて、新しい形の山になった。（中略）なんと、例のウサギが片足の折れた状態で姿を現わしたのだ。無傷のほうの足で地面を蹴《け》りながら、いかにも辛《つら》そうに、よたよたと進んでいる。フィルが見守る中、ピーターはウサギを抱きあげて腕に抱えた。（中略）「おい、苦痛から解放してやれ」フィルが命じた。（『パワー・オブ・ザ・ドッグ』[1]）

二〇二一年に公開されたNetflixオリジナル映画『パワー・オブ・ザ・ドッグ』(*The Power of the Dog*)は「有害な男らしさ」とともに語られることの多い作品である。というのも、主人公フィル・バーバンクは、二歳下の弟ジョージの結婚相手ローズに対して憎悪を募らせ、彼女を自分の女性嫌悪《ミソジニー》の標的にし、家父長的な威圧感でもって、これでもかというほど彼女を追い詰めていくからだ。またその追い詰め方も、たとえば、彼女がうまく弾けないピアノの曲に合わせて、彼がバンジョーを弾いて「からかう」という嫌がらせであったり、かなり陰湿である。原作は一九二〇年代半ばのアメリカ西部を舞台としたトーマス・サヴェージ(Thomas Savage, 1915–2003)による同名の小説で、カウボーイのバーバンク兄弟が息の合ったチームワークで牧場を切り盛りしているところに、弟ジョージが、食堂を営むシングルマザーのローズに恋をして結婚することになり、この三人(と使用人)の同居が始まる。さらに、学校が休みになったローズと前夫との間の息子ピーターが加わり、複雑な感情が渦巻く状況のなか、それぞれが傷ついて苦しみ、最後に悲劇がもたらされる。

冒頭部で引用したのは、兄フィルの「有害な男らしさ」がもっとも象徴的に表される場面である。彼は、ローズの息子ピーターを焚《た》きつけて、小さな丸太が積み上げられた山から「棒をいくつ動かせば動物が出てくるか」(同、三一八頁)という遊びを提案して、そこに逃げ込んでいたウサギの命を弄《もてあそ》び、木の下敷きになって足を折ったウサギをピーターに安楽死させるという暴力的な性質を見せている。フィルが、ローズの経営していた食堂ではじめてピーターを目にしたときも、「女みたいな男の話し方」をする彼に「我慢がなら」ず（同、七七頁）、からかい半分、彼が作って飾ってある紙の花を「いったいどこの若い女の子が、こんなきれいな花を作ったのかねえ?」とわざと怒らせるようにいった（同、七八頁）。フィルは牧場で働く男たちの共同体の支柱のような人物として描かれ、「頭の回転も速く、好奇心旺盛《おうせい》で」、不潔な身なりや荒々しい口ぶりからは「さぞ単純で無教養な人」と思われるが、「実際の彼に接すると面食らってしまう」（同、一四頁）ほどコミュニケーション能力に長《た》け、音楽や美術の才能もある。ただ、彼はカウボーイの格好をして、「ブロンコ・ヘンリー」という彼が心酔していた人物が生きていた頃の古い時代に留まろうとする、孤独と苦悩を抱えた人物である。他方、弟ジョージは極端にコミュニケーション能力が低く、おとなしい性格である。人を傷つけるなんて論外といった心優しい人物で、フィルのせいでローズが泣いていたと知ったジョージは抗議の意味を込めてこういう。「今夜、兄さんがあの男の子〔ピーター＝引用者注〕に言ったことが、彼女を泣かせたんだよ」（同、八二頁）

ローズが財産目的でジョージと結婚したと思い込んでいるフィルは、彼女に憎悪を向け、あわよくば復讐する機会を狙っている。映画でも、キルステン・ダンスト演じるローズがびくびくしている様子は、かなり頻繁に映し出されている。フィルに徹底的に嫌われていることを何度も思い知らされた彼女は、とうとう激しい頭痛に苦しむようになる（原因がフィルかどうか医学的に証明はされないが、少なくとも彼の影響下で頭痛が生じるようになる）。ローズは、「彼の沈黙という名の嘲《あざけ》りや、彼の行儀の悪さや、しきりに身体をかいたり鼻を鳴らしたりするところや、彼女を無視してジョージに話しかけるところを思い浮かべては、気分が悪くなるのだった」（同、二五八頁）。まさに『パワー・オブ・ザ・ドッグ』というタイトルにふさわしく、フィルの頭脳というより、彼の動物的な（あるいは犬的な）直感が、弱者であるローズを効果的に追い込む方法を知っているかのようである。犬の力で思い出すのは、大江健三郎（1935-2023）が『万延元年のフットボール』（一九六七年）で生々しく描く根所鷹四の暴力性と彼の「犬の魂」であろう。一九六〇年の安保闘争の学生運動に参加していたが渡米、放浪して帰国した弟の鷹四の提案で、語り手の根所蜜三郎が妻の菜採子とともに故郷である四国の「谷間の村」にやってくるが、彼はこの閉鎖的な土地に生きた民衆の歴史に想像力を向けながら、鷹四が「暴動の指導者」あるいは「有能な悪の執行者」としてじっさいに暴力をふるう様子を目の当たりにする（『万延元年のフットボール』[2]）。不思議と蜜三郎がもっとも感じ取っているのは、鷹四の暴力性そのものというより、彼が抱え込んでいる「憂鬱」の語れなさである。

鷹四は、かれが僕の見知らぬ暗闇の世界において経験したところのことの累積をつうじて、孤独な犬のように切実な率直さを自分の属性としたのだ。**犬がかれの憂鬱を言葉で語ることができない**ように、鷹四もまた、他人と共通な言葉によって語ることのできないあるもの、を頭の芯に重く結節させているのだ。僕は、自分の内部に**犬の魂**がはいりこんできたらどういう感じであるかを具体的に検討してみながら眠った。（同、一三二頁、ゴチックは引用者）

ジークムント・フロイトは、ギリシャ神話に言及しながら、生と死がそれぞれエロスとタナトスを駆り立てると説明したが、鷹四が駆り立てられているのは後者のタナトス的衝動である。蜜三郎が鷹四という「暴力的な肉親をまぢかに見ることによってもたらされた肉体的なおぞましさ」を実感する（同、一五八頁）のは、ジョージがフィルという暴力的な肉親のふるまいに戸惑いを覚えるのに似ている。

蜜三郎が故郷に戻ることを提案したのは鷹四だが、彼自身がその必要性をより感じていたのではないかと思われる。たとえば、じっさいは事故か過失によってもたらされた知り合いの女性の死について、鷹四が「強姦しようとして殺した」ことになっているのだが、彼は弁明しないどころか、積極的に「自分が殺した」と言い張る（同、一九六頁）。最終的に自殺する鷹四の「自己破壊」的な衝動の背後には（同、二〇八頁）、罪悪感に押しつぶされそうになる過去の記憶があった。彼はかつて「知恵遅れの妹」（同、二〇九頁）との間に近親相姦があったのだが、そのことが発覚することを恐れるがあまり、自分の指示を守って嘘を言い通した妹を裏切り、彼女を自殺にまで追い込んでしまったという自責の念に苛《さいな》まれていた。意識的にか無意識的にかは読み取れないが、故郷で兄の蜜三郎に会う計画もそのことを告白するためであったのだろう。終盤で浮かび上がる「霰弾がびっしり撃ちこまれて」いる自己破壊の末の無残な鷹四の遺体（同、二二七頁）は、奇妙にも、傷だらけになりながら何かに憑《つ》かれたようにロープを編み、それが結果的にフィルに悲劇をもたらすのと似ている。

小説版、映画版ともに『パワー・オブ・ザ・ドッグ』の結末では、家父長制的な女性嫌悪《ミソジニー》のフィルは、大きなしっぺ返しを受けることになる（ここから先は映画のネタバレになるので、これから映画を見たいと思っている方はご注意下さい）。彼が使おうと思っていたロープの材料は、フィルの留守中にローズが売ってしまっていたのだが、フィルが悪態をついているのを見て、ピーターが自分で加工していた牛の「生皮」を差し出している。フィルはローズに「最後のとどめをさす」手段として、彼女の息子ピーターのためにロープを編みはじめる。

編みはじめたばかりのこのロープを少年に贈ることは、彼を母親から引き離すための絶好の口実となる。このロープは、いわばふたりを結びつける絆《きずな》になるのだ。彼の手が止まり、動かなくなった。皮から手を放し、巨大な二匹の蜘蛛《くも》のような自分の合わせた手を見つめる。フィルはふと魔法にかかったように陶然となり、いま思いついた考えで頭がいっぱいになった。（『パワー・オブ・ザ・ドッグ』、二八二頁）

しかし、その「生皮」に含まれていた炭疽菌《たんそ》がフィルの傷口に侵入し炭疽症を発症させ、結果的に彼を死にいたらしめてしまう。

じつは、このフィルの運命は、小説冒頭から予見されていた。「小さな傷なら、彼が尻《しり》ポケットにいつも押しこんである青いバンダナでひと拭《ふ》きすれば、すぐに治ってしまう」（同、一五頁）と語られているが、じっさいはその傷の軽視が致命傷になるのだ。別の場面でも、フィルは「オイルサーディン缶を開けるときに手を切ったのだが、そのことは誰にも言わなかったし、血をぬぐいもしなかった」（同、七八頁）。手を切ったくらいではケアを必要としないといわんばかりである。また、ウサギが安楽死させられたあと、皮肉にも血を流していたのは、フィルだった。「〔ウサギの＝引用者注〕血は一滴も出ていない。むしろ血が出ているのはフィルのほうだった。何か鋭いもので引っかいたらしい」（同、三二〇頁）。このような「傷」に対するフィルの無関心は、彼自身だけでなく、他者をもうっかり傷つけてしまうような暴力性を象徴している。少しぐらい傷ついても命に関わることはない、という過信が、彼にとっては命とりになってしまった。

鷹四も自滅への道をたどっているが、語り手の蜜三郎は弟のタナトスを次のように言い表している。「そうだ、鷹は自分の意志で最初からひとつの暴力犯罪を構築する勇気はないが、いったん事故で犯罪にまぎらわしい状況がおこると、待ちかまえていたようにそれへ自分をむりやり挿入して、リンチか死刑かのどんづまりに自分をみちびこうとしている」（『万延元年のフットボール』、二〇七〜二〇八頁）。また、人を傷つけることのない蜜三郎も「自分の内部に犬の魂がはいりこんできたら」どうだろうかという問いを自らに向け、いかなる人間も潜在的に加害性を抱えていることが示唆されている。

そもそも鷹四はなぜ「犬の魂」（＝暴力性）に導かれたのだろうか。彼が妹と近親相姦の関係を持ってしまった理由に、「伯父の家に妹と厄介になっている境遇のコンプレクス」を持っている不遇さが触れられている。また、彼は自分たちが「一緒に寝ているというような噂」に「暗示を受けてしまってもいた」ことも挙げている。「おれは頭のふにゃふにゃしたファナティクな十七歳の高校生で、そうした暗示に弱い孤独家だった」と彼は語り、若い衆に呼ばれて生まれてはじめて酒を飲み、酔っぱらってしまった鷹四は、家の外から「猥褻《わいせつ》で野卑な歌」が聞こえてくるなか「妹をなだめるために躰をかかえて」いて、「妙な具合に昂奮していた。そのうちおれは妹と性交してしまったんだ」と蜜三郎に告白している（同、二一〇頁）。鷹四が妹との「性交」と呼んだものはレイプに近いだろう。それでも、妹を納得させた後、近親相姦の関係が続き「一時期おれたちは幸福な恋人同士の気分にひたって完全無欠の日々を暮した」が、妹が妊娠したことを伯父夫婦に気づかれ、堕胎手術だけでなく、不妊手術まで受けさせられてしまう（同、二一一〜二一二頁）。ここで鷹四の前に人間の根源的な矛盾が立ち現れる。中絶させられ、傷ついた妹が鷹四に慰められようと性交を求めてきたが、彼が手術で傷ついた彼女の性器に「恐怖心」を持ち、彼女を受け入れることができず、「撲ってしまった」ことだ。加害しようと意図して撲ったのではなかった（同、二一二頁）。

こうして大江とサヴェージが描く「男らしさ」の暴力性を見ていくと、意志とは別次元の、複雑に絡み合う暴力的衝動が自己の外だけでなく内にも向けられてしまう狂気のようなものが見えてくる。もちろんどれだけ厳しい環境に身を置いて傷ついたとしても、暴力に及んでいいということにはならないが、他方で、人を傷つけてしまうすべての行為において明確な意志があるともいいきれない。すなわち、性の権力構造に対するより根源的な問題として、人間一人ひとりが「自由な選択権をもつ『自律的主体』という理想」（竹村和子「『いまを生きる』〝ポスト〟フェミニズム理論」[3]）は持ちえないことが論じられるべきなのだろう。このような視点は、暴力を構造として分析し、なくそうとするためには必要不可欠なものだと語るのは、日本のフェミニズムを牽引してきた竹村和子である。竹村は、ドメスティック・バイオレンスの加害男性が生育期のトラウマの犠牲者であれば、「加害者／犠牲者という二項対立そのものを再考しなければならないという見方がある」ともいっている（同前）。大江もサヴェージも、ある意味で近代西洋が無批判に繰り返してきた「自己」と「他者」という二項対立とその境界線を、根底から揺るがすような存在の在り方を描いているのだ。大江の『万延元年のフットボール』は、「妹の側にたってものを考える」ことができなかった男が、それができるようになる物語である。ヴァージニア・ウルフの言葉を借りれば、両性具有的な精神を注ぎ込んだ作品ともいえる。

ルネサンス期からヴィクトリア時代にかけて支配的だった厳格すぎる性規範——男らしさと女らしさを二分する道徳観——がもたらした弊害を、ウルフは両性具有的な精神を作品に宿すことによって乗り越えようとした。彼女は、同様に両性具有的な精神を作品に注ぎ込んだ男性作家や詩人として、シェイクスピア、S・T・コウルリッジらの名前を挙げている。地方、男性でありながら、女性的な精神を備えている文豪たちのなかにイギリスのロマン派詩人ジョン・キーツがいる。前にも取り上げたが、価値判断を留保する、あるいは二つの価値基準の間で宙づりになることを表す

「ネガティヴ・ケイパビリティ」という概念で知られるキーツは、ウルフにとって「両性具有的」であった。これは、「短気に事実や理由を手に入れようとはせず、不確かさや、神秘的なこと、疑惑ある状態の中に人が留まることができるときに表れる能力」を意味する（拙著『ケアの倫理とエンパワメント』[4]）。「とにかくその種の混合」、つまり両性具有的な混合がなければ、「知性ばかりが支配的になり、心の他の能力は硬化して不毛になる」とウルフは語っている（同前）。

「有害な男らしさ」を知識として知っていて、それは悪だと断定することは簡単だ。しかし、いかなる人間もその加害性から完全には逃れられないという問題をどう乗り越えるか、あるいはその難しさをどう言語化するかということも重要なのではないか。ウルフの両性具有性という価値に触れると、「男の側」と「女の側」の見え方／感じ方が交わらない生き方は、心を硬化させうると気づかされる。女性がケア労働などを担うようになっていった歴史をたどると、彼女らが家父長制的な社会において「男の側」の思考を押し付けられてしまう問題が見えてくる。また、「女の側」といっても千差万別で、階級や人種間の差異を考えに入れると社会の底辺にいる女性とそうではない女性では、「苦悩」の種類も度合も異なるだろう。アメリカの作家、批評家であるベル・フックスは、虐待や貧困を経験した黒人の立場から、女性間の差異は容易には乗り越えられないと考える。物質的に恵まれ、高等教育を受け、さまざまなキャリアやライフスタイルを選択することのできる女性が、それらの特権を持たない女性が抱え込む苦しみや生きづらさを想像することは困難だ。この章ではジェンダーをテーマに、両性具有的な思考とケア、女性間の差異について思索する文学を考察してみたい。

2　ネガティヴ・ケイパビリティ――『パワー・オブ・ザ・ドッグ』

女性の経験が描かれる作品を多く手がけてきたニュージーランド出身のジェーン・カンピオン監督（Jane Campion, 1954–）が暴力性を孕む「有害な男らしさ」を主題とした小説『パワー・オブ・ザ・ドッグ』を原作として選んだことは意外であるように思える。しかしイギリスのガーディアン紙のインタビューによればカンピオンにとって、フィル・バーバンクの「有害な男らしさ」こそ、「新しい領域を切り開く鍵となった」という。[5] そして、この作品でカンピオン監督が注目するのも、自他の境界線のあいまいさである。彼女の作品のなかにジョン・キーツとその恋人ファニー・ブローンの悲恋を描いた『ブライト・スター　いちばん美しい恋の詩』（*Bright Star*, 2009）という映画がある。「ネガティヴ・ケイパビリティ」のキーツである。詩人になる前に見習い医師として、ロンドンの病院で患者の術後の経過を見守る日常を過ごしていたキーツだからこそ、「正解」のない、「断定できない」心の在り方を肯定することができたのかもしれない。

社会学者のキャロル・ハリントンによれば、「有害な男らしさ」（toxic masculinity）は、男性による女性嫌悪《ミソジニー》や同性愛嫌悪《ホモフォビア》的な発言や暴力を表すものとして普及した。この言葉は、とりわけ二〇一六年以降に、前アメリカ大統領ドナルド・トランプらをはじめとする白人エリート権力者の女性蔑視的な言動を指し、#MeToo 運動の文脈においては女性が抗うものとして頻繁に用いられてきた。[6] カンピオン監督は、次のようにガーディアン紙のインタビューに答えている。「#MeToo 運動が私の決断に少なくない影響を及ぼしたのだと思う。この運動の威力があまりに大きくて、〔女性による「有害な男らしさ」の告発という＝引用者注〕このテーマは全く異なる領域を切り開くことを可能にした」。

カンピオンがサヴェージの小説に魅了されたのも、これが単なる「有害な男らしさ」だけの物語ではないからだろう。フィルはいわゆる典型的な「悪漢」ではない。彼は仲間を大事にし、最初はからかっていたピーターに対しても、「信用に値する者」(『パワー・オブ・ザ・ドッグ』、二八一頁)であると確信してからは、彼なりに愛情を注ぎ、馬の乗り方も真剣に教えている。カンピオンの映画では、悲しい偶発的な出来事の連鎖のために死んでしまうフィルは、暴力性を内面化しつつも、他者にも開かれた複雑な人間として表現されている。

映画で殊更きわだっているのが、フィルの死因となってしまう「生皮」(死んだ牛から切り取った皮)をピーターが提供したいと伝える場面であることからも、カンピオン監督はフィルの怨嗟《えんさ》だけではなく愛情深さもテーマにしたかったことが分かる。ピーターは母親ローズとは違い、フィルを憧れの対象として見ていた。ただフィルのようになりたい一心で「生皮」をわざわざ細く切って持っていた。ところが、ピーターは病気で死んだ牛の皮の恐ろしさを知らなかった。「フィル、生皮なら僕が持ってる。切っておいた。あなたに憧れて」[7]と、コディ・スミット＝マクフィー演じるピーターがベネディクト・カンバーバッチ（Benedict Cumberbatch, 1976–）演じるフィルの腕に触れながら言っている。この熱を帯びた言葉に感激したフィルが、彼の首に触れながら、彼の未来が明るいこと、その日は徹夜してロープを編み上げることを誓っているのだが、カンバーバッチの真に迫った演技は圧巻である。母親がいかにフィルの女性嫌悪《ミソジニー》に苦しめられていたかを知っていたとしても、ピーターにとっては、自分のためにロープを編んでくれようとしている愛情深い義理の伯父である。と同時に、見方によれば同性愛的なイメージが演出されてもいる。

フィルの加害性は物理的な暴力によるものではなく、主にからかいや陰湿ないじめが主であるが、それは確実にローズを苦しめていた。たとえ彼女がジョージと結婚して、シングルマザーとして一人で食堂を切り盛りする苦労から解放されたとしても、今度はフィルのからかいなどの加害に耐えることになる。途中で、ローラが雇われて、ローズの家事負担がほとんどなくなってしまい、それがかえってフィルのいじめから解放されるような場を奪ってしまったともいえるだろう。ただ、フィルもある種の「傷」を負っており、それは抜き差しならないものであることがカンバーバッチの演技から伝わってくる。

男性・マジョリティの研究者西井開の『「非モテ」からはじめる男性学』における「モテない」男性の「傷」をめぐる優れた考察は、フィルが抱え込んでいたであろう苦悩を想像させるような文章である。西井は、「性愛からの疎外」が男性にとってどのような傷になるか、次のように推察する。

からかいや緩い排除という現象が、その構造上「加害／被害」という明確な像を結ばないため、「非モテ」男性が自身の被害を認識できず、その結果、微細な傷つきが埋もれていくということが考えられる。その点、女性との親密な関係性を築けなかったという出来事はわかりやすい傷つきであり、また最後の望みが断ち切られた痛みであるからこそ、「非モテ」男性の記憶に強く刻み込まれ、その分表面化しやすいのかもしれない。[8]

このように男性の「疎外」についての理解が深まると、フィルにとって、丸太でできた大きな家でのジョージとローズとの同居生活は、自分には「女性との親密な関係性を築けなかった」ことを日々想起させるもの、つまり心に傷が刻まれていくことを意味するのではないだろうか。カンバーバッチによるフィルの人間像をめぐる洞察は鋭い。彼いわく、フィルは「心の内に抱える痛みと〔弟に対する＝引用者注〕子供じみた嫉妬で引き裂かれていて、それが彼自身を落ち込ませたり、痛めつけたりするという衝動へと駆り立てている」（カンピオンのインタビュー記事より）。小説に描かれるフィルは、ジョージ、ローズ夫妻が到着した夜、「暗闇の中で身じろぎもせずベッドに横になりながら、考えていた。あの女がジョージとベッドに入り、ジョージに彼女の上をせわしなく動き回らせ、たぶん子作りするのを許すところを」（『パワー・オブ・ザ・ドッグ』、一二九〜一三〇頁）。カンピオンの映画では、反対に、動揺して右往左往するフィルが映し出されている。

この作品には、「傷」や「痛み」に誘引される加害性が「有害な男らしさ」と結びつく場合、ただ糾弾するだけでは片づけられない問題が内在している。それゆえに、その映画の主演にカンバーバッチが抜擢されたのも理解できる。カンバーバッチが演じてきたさまざまな役柄は「ネガティヴ・ケイパビリティ」とも地続きである。たとえば、彼が演じるBBCテレビドラマ『SHERLOCK(シャーロック)』(二〇一〇年〜)の主人公シャーロックは、頭脳明晰で、自分の推理力に絶対の自信を持つ探偵で周囲を小馬鹿にするのだが、相棒であるジョン・ワトソンに危険が及べば、極端に動揺し、いかなる犠牲を払っても彼を守ろうとする。彼が、自分の弱さを隠蔽《いんぺい》するために「有害な男らしさ」というペルソナをつけているようなところは、フィルとよく似ている。また、『イミテーション・ゲーム/エニグマと天才数学者の秘密』(*The Imitation Game*, 2014)という映画では、第二次世界大戦中にドイツ軍のエニグマ暗号の解読を成功させた輝かしい功績を持ちながら、当時の法律では処罰対象になる同性間の性行為(著しい猥褻な行為=gross indecency)で処罰されてしまった科学者アラン・チューリングの葛藤と孤独を見事に演じた。このようにカンバーバッチという役者は、自分が抱える弱さを知性や才能という強さで偽装するような主人公を演じてきている。『パワー・オブ・ザ・ドッグ』でも、カンバーバッチは、フィルの心の内奥から噴き出してくる怒りや憎悪をどこか自己破壊的な感情とともに表現しているようにも思える。フィル——あるいはフィルに共感しているカンバーバッチ——のふるまいからは、鷹四が湛《たた》えていた「憂鬱」が感じられる。西井がいうように、「『加害者は意図的にその行為を選んでいる』という説明だけでは切り取ることのできない加害の様相が存在」（『「非モテ」からはじめる男性学』、一八〇頁）することを、カンバーバッチの豊かな表情からも読み取れるだろう。

3　資本主義と魔女狩り――シルヴィア・フェデリーチ『キャリバンと魔女』

性と産は「自然」と結び付けて考えられることが多いが、そのことを上野千鶴子はこう断罪する。「思想などなくても、ひとはセックスし、孕《はら》み、産む。それを自然であり本能であると言い放つのは、思考停止と怠慢というほかはない」。上野は、女が自分の経験、しかもそのなかでももっとも切実な経験である性と産とを思想化する必要性を問う。「男たちは、性と産とを『女の経験』として自分の外へとおしやり、それを『自然化』することによって、考えないようにしてきたのではなかったか」（〈おんな〉の思想[9]）。

『パワー・オブ・ザ・ドッグ』には、自然化の論理が如実に表れている。暴露されている、といっていいだろう。フィルは「有害な男らしさ」を発動するとき、家父長制的な枠組みにおける「女」のステレオタイプを持ち出してからかっている。たとえば、小説では、バーバンク家で働くような男たち、つまり「流れ者や家を持たないさすらい人《びと》」にとって、ローズはどのような女性として映っていたかが語られる。フィルによれば、彼らにとってこの世には「いい女」と「悪い女」の二種類しかいない。「『悪い女』は動物と同じで敬意を持たれず、男たちは彼女たちを動物のように利用して話の種にした」。彼らにとって、ジョージの妻であるローズは「いい女」であり、「清純で性的なものとは無縁の存在で、神のように神聖」なのだ。だから、フィルが冗談で「かみさんがおまえのパジャマの上に転がってきたとか?」といったりすると、「驚いたように場がしんとな」り、ジョージは「顔をまっ赤にした」(『パワー・オブ・ザ・ドッグ』、三二八頁)。もちろん、フィルにとってローズは、ジョージの妻であり、生殖を含む家事労働を担う女性であるが、それも自然化されている。

近代社会においては、ケア労働が私的領域に分業化されるようになり、女性の生殖を含むケア実践は「自然」の領域に追いやられ、未払い労働が当然視されるようになった。イタリア系アメリカ人のフェミニスト研究者シルヴィア・フェデリーチ(Silvia Federici, 1942–)は、『キャリバンと魔女——資本主義に抗する女性の身体』(*Caliban and the Witch : Women, the Body and Primitive Accumulation*, 2004)で、このような自然化、あるいは神秘化された女性の生殖を含む家事労働とその社会の構造を問うている。彼女は、このような女性の再生産労働の役割に目を向けないかぎり、資本主義の暴力的な本質を理解することはできないと論じている。フェデリーチは、十六〜十七世紀ヨーロッパまでさかのぼり、生殖を取り巻く現実を緻密に捉え直そうとする。たとえば、マルクスは「子どもをつくること」を「ジェンダー的に中立で、区別のない過程として」捉えたが、フェデリーチはそこに新たな問いを打ち立てている。マルクスは、なぜ生殖が「自然の事実」であるはずと考えられるのかを問わなかった。「さまざまな利害と力関係に取り囲まれ歴史的に決定されてきた社会的な活動」の一部とは考えなかったのだ。現実は、「女性はたいてい自分の意思に反して出産することを強いられ、自分の身体、労働、さらに自分の子どもからも、他のどの労働者が経験したよりも深く疎外されるようになった」のだ（『キャリバンと魔女』[10]）。フェミニスト歴史家の多くの研究によれば、「女性を非－労働者と規定する」プロセスは、「一七世紀の終わりまでにはほぼ完了していた」（同、一五四頁）。これにより、「女性の労働は家のなかでされたものであれば何でも『家事』と定義され、家の外でなされた場合であっても男性より支払いは劣り、その賃金では女性は生活できなかった。いまや結婚こそが女性の真の仕事であるように考えられ、女性が独立して生活することができないのは当然のことだと考えられるようになった」（同、一五五頁）。

　現代では当たり前のように用いられている「主婦」（housewife）という概念を、近代の男性優位社会を形成するために必要だったものとして考えてみよう。フェデリーチは、そう読者に語りかけているのだ。「女性の資本主義的規律化」の現象を見れば、社会的に認知された経済活動から、女性労働者を締め出すことがいかに「母性の強要」と「魔女狩り」と繋がっていたか明らかであると彼女はいう。それは、「主婦の誕生」と結びつき、「女性の労働の価値切り下げ」のひとつの要因に職人たちによる女性の組織的な排除が挙げられるという（同、一六〇頁）。「家から出て公共の場や市場で働こうとする女性は、性的に積極的で気性が激しいとか、『売女』、『魔女』のように表わされた」（同、一六二頁）。このような資本主義的な規律が作られる過程で変容していったのは、女性の労働の捉え方である。フェデリーチの言葉を借りれば、「あらゆる女性が共有財産」となり、「女性の労働は空気や水と同じくらい誰もが使用可能な天然資源に見えるようになった」(同、一六三頁)。

フェデリーチによれば、資本主義は、女性に自分たちは生来的に劣位にあるという偽装を信じ込ませることによって、「階級的反感を、男性と女性の間の対立へとそらすことができた」。また、「労働者を互いから、そして自分自身からさえ疎外させる」こともできた(同、二〇三頁)。つまり、資本主義においては、男女が互いに疎外される問題が浮上する。フィルが分類している「いい女」と「悪い女」は、まさに資本主義が——あるいは「魔女狩り」が——女性の性的活動を〈労働〉へ、すなわち〈男性への奉仕〉へと変容させてしまった性の歴史と結びついている。フェデリーチは、ミシェル・フーコーの『性の歴史』における権力と性の言説の議論を踏まえつつ、いかに魔女としてとらえられた女性たちが拷問部屋で、「性的な手がら」に関する言葉を発するように命じられたか、そしてそれがフーコーの見立てとは異なり——「吊るし刑の苦痛で女性を狂乱状態にしながら投げかけられた」ことを考えると当然なのだが——「性についての果てしのない言説」は「抑圧、検閲、否認のために展開された」と論じている(同、三一〇頁)。フェデリーチの議論の中心でもあるが、女性たちのエロスの力を、彼女らの性的能力や快楽の昇華のためではなく、「労働力」に変えてしまう力が資本主義にはあるということだ(同前)。

『パワー・オブ・ザ・ドッグ』は、「男の側」の論理が「女の側」を支配してきた権力構造を忘却する言説を浮かび上がらせる。ローズはシングルマザーとして食堂を営み、息子を育てることができていた。彼女がジョージの妻になり、「主婦」として家庭に入ることは、もちろんピーターの学費の援助をしてもらえるという点で大きなメリットはあるが、他方で、資本主義によって隠蔽された「女性の不払い労働」の問題は蔑《ないがし》ろにされるのである。

万が一、あの女がジョージに泣きついたとしても、それがなんになる？　この家はジョージのものであると同時にフィルのものでもあり、財産も、ジョージのものであると同時にフィルのものでもある。牧場の経営も順調そのものだから、ふたりで牧場を分けるとなれば、金銭面のことや河川や牧草地などの使用権をめぐって、もめるのは必至だ。たとえそれが狙いだとしても、彼女の立場が非常に苦しくなるだけだ。晩冬の今日の夕方、ジョージが買い与えたに違いない服を着てこの家にはじめてやってきた彼女が、いまごろ死ぬほどびくびくしているのが目に浮かぶようだった。（『パワー・オブ・ザ・ドッグ』、一二七頁）

フェデリーチの議論を踏まえてこの文章を読むと、フィルの言葉には、ローズが失ったものへの配慮《ケア》がないことが分かるだろう。彼にとってローズがジョージと結婚して家族の一員になることは――市場で交換可能な資本の観点からしか見ないため――損失でしかないのである。今後、彼女がジョージの子どもを妊娠し、出産するという生殖にかかわる労働、また、その後二十年ほど続く子育てのケア労働はまったく考慮されていない。

4　生むか、生まないか――キャロル・ギリガン、川上未映子『乳と卵』

男性作家が描いてきた〈有害な男らしさ〉と性や産の問題は「女の側」から、あるいは「妊娠・出産する体の側」からはどのように見られてきただろうか。フェミニズムの側から考えれば、『万延元年のフットボール』の鷹四は許されざる罪の数々を犯している。そして、鷹四は「すでにおれは欲望と恐怖心とで頭がやられていて、妹の側にたってものを考えることなどできはしなかったんだよ」と語り、もし近親相姦が他人に知られると、「ふたりとも酷いめにあうんだといって、辞書から中世の火刑の図版をさがし出して妹に見せたりもした」と〈魔女狩り〉を利用して、恐怖で従わせようとした（『万延元年のフットボール』、二一二頁）。妹は妊娠していることを伯母に気づかれたとき、誰かに「強姦された」というよう兄の鷹四に指示された。それに従った妹は、その結果堕胎手術だけでなく、不妊手術まで受けさせられ、そして、翌朝自殺してしまう。弱者である鷹四が自分より弱い妹を死に追い込んだ。このような悲劇は、どのようにして生まれるのか。彼女はなぜ中絶に反対しなかったのか。あるいはできなかったのか。なぜ周りの、とくに鷹四の声に従ってしまったのか。

性と生殖の自由や権利とは別に、女性はさまざまな関係性にからめとられたり、自分が生まれ落ちた家庭環境に大きく影響を受けることを踏まえると、近代西洋思想が信じてきた〈自律的な個〉

はある意味幻想のように思える。たしかに、一九七〇年代にカナダ系アメリカ人のフェミニスト、シュラミス・ファイアーストーンは人工生殖のテクノロジーが進歩するにつれて男性と女性の間の差異は問題でなくなるだろうと考えた。[11] しかし、たとえテクノロジーが技術的に中絶を可能にしても、中絶するかどうか、当事者の女性は難しい選択を迫られる。それゆえに、生命をめぐる妊娠と出産、そして中絶の問題はフェミニズムの課題であり続けるのだろう。

つい最近もアメリカの連邦最高裁判所が下した判決が、半世紀ぶりに人工妊娠中絶の禁止を認める立場へ転じたことが報道された。二〇二二年六月二十四日に、中絶を合衆国憲法が認める権利と位置づけた一九七三年の「ロー対ウェード判決」を無効とする判断を示したのだ。これで、全米統一のルールがなくなり、中絶の禁止、あるいは制限の是非は各州に委ねられる方向に向かう。母胎の人格権を優先するのか、あるいはものいわぬ胎児を単なる器官として扱わずに人格権を持つ生命として扱うのか。生命はいつ始まるのか。女性に課せられる中絶をめぐる選択について語るための言葉が足りない。中絶の権利を認めた歴史的な判決の当事者である「ロー」の本名はじつは「ノーマ・マコービー」で、一九八〇年代に自らの名前を明かしていた。首都ワシントンで開かれた、中絶の権利を支持する大きな集会で演説したりもしたが、その後、マコービーは中絶反対派へと大きく転換した。彼女をお金や名声のために態度を変えた、節度のない女性と見る向きは強いらしいが、それに対して、国際政治学者の三牧聖子は朝日新聞デジタルの記事のコメント欄で次のように述べている。

中絶支持と反対の間でさまざまに揺れ動いたマコービーの言動を辿っていると、1人の女性の中にも、胎児の生命を大事に考え、奪いたくないと考える「プロ・ライフ」(中絶反対)と、自らの身体に関する自己決定権は奪われてはならないとする「プロ・チョイス」(中絶支持)の考え、どちらもあることが実感される。[12]

他者を胎内に抱える女性が中絶すべきかどうか決定に至ることが難しいと感じるマコービーら当事者に寄り添う三牧の態度は、まさにネガティヴ・ケイパビリティ的な思考の大切さを訴えている。このような女性の中絶をめぐるもどかしさや葛藤を、キャロル・ギリガンがすでに一九八二年に一冊の書籍『もうひとつの声で』にまとめていたのには驚かされる。ギリガンによれば、「女性が妊娠を継続するか中絶するか検討する際、その人は自己と他者の両方に影響を及ぼす意思決定について熟考している。また、その意思決定は、人を傷つけるという、重大な道徳的課題」を直接的に突きつけるのだという(『もう一つの声で』、一九一頁)。たとえば、ギリガンがインタビューしたキャシーという女性は「子どもを産むか、妊娠中絶するかのどちらかですよね。この二つが、私に与えられている選択肢でしょう。でも私が悩んでいるのは、自分自身を傷つけるか、私の周りの人たちを傷つけるか、という選択なんです」と語っている(同、二〇八頁)。また子どもを生むということは、貧困に直結する場合もある。サラという女性が中絶をするための病院の予約をしたり、取り消したりをくりかえすのは、恋人に見捨てられた後に妊娠に気づいたためもある。彼女は、「福祉に頼らなければならなく」なるなどの経済的な不安を抱えながら、中絶を選べば、「これから先の二五年間の人生、また妊娠してしまうほど馬鹿だった自分に罰を与え続けて、そのことだけを理由に子どもを育てるように自分に強要し続けることになるんだ、という認識を現実のものにしなくて済みます」と揺らぐ気持ちをそのまま吐露している（同、二三二頁）。

ギリガンは『もうひとつの声で』において、〈自律的な面〉を確立し、その主体性や自己判断の正しさを追求するフェミニズムとは異なる価値として〈ケアの倫理〉を推進している。生むか、生まないかをめぐる中絶の問題は、女性自身とその胎児、あるいは女性自身とパートナーといった関係性のなかで答えをみつけなければならない。その過程で自分の弱さや葛藤に向き合うことにもなるが、他者をケアするという〈ケアの倫理〉は、互いに依存し合う――自他の境界線を越えて助け合う――といった〝関係性〟の倫理をめざす。

川上未映子による『乳と卵』（二〇〇八年）は、語り手の「わたし」と姉の巻子、そしてその娘の緑子の関係性を描いている。普段は大阪の京橋の場末のスナックで働くシングルマザーの巻子が娘の緑子とともに東京に住む「わたし」のもとにやってきて、数日間ともに過ごす物語である。緑子は反抗期を迎え、口を閉ざしており、日頃から母親と筆談で対話している。「緑子はわたしの姪であって、叔母であるわたしは未婚であり、そして緑子の父親である男と巻子は今から十年も前に別れているために、緑子は物心ついてから自分の父親と同居したこともなければ巻子が会わせたという話も聞かぬ」というところからも、子育ての重責が巻子一人の肩にかかっていることがうかがえる（『乳と卵』[13]）。自分を生んだことで失われた胸のふくらみを戻すために、豊胸手術を受けようと病院に電話して訴える母巻子のことを緑子は、小気味いい大阪弁で次のように日記に書いている。

子ども生んでからってゆういつものに、母乳やったので、とか。毎日毎日毎日毎日電話して毎日あほや、あたしにのませてなくなった母乳んとこに、ちゃうもんを切って入れてもっかいそれをふくらますんか、生むまえにもどすってことなんか、ほんだら生まなんだらよかったやん、お母さんの人生は、あたしを生まなんだらよかったやんか、みんなが生まれてこんかったら、なんも問題はないように思える、うれしいも悲しいも、何もかもがもとからないのだもの。卵子と精子があるのはその人のせいじゃないけれど、そしたら卵子と精子、みんながもうそれを合わせることをやめたらええと思う。

緑子（同、八〇頁）

東京に来て二日目、とうとう巻子は豊胸手術のカウンセリングを受けに行くといって、しばらく連絡がとれなくなる。夜になってようやく巻子が戻り、修羅場になる。巻子は口をきこうとしない緑子に「あんたは、あたしと口がきけんのやったら、どうでもしい、どうでもしたらええよ、ええわ、と云い、ひとりで生まれてきてひとりで生きてるみたいな顔してさ」とまさに語り手がいうように「昨今昼ドラでもなかなか聞けぬようなせりふ」を口にしている（同、九五頁）。

加害する意図なく、まったく成り行きで緑子の指が巻子の目に入ってしまう展開を迎え、緑子は「口を結んで、目を押さえて涙を垂らす巻子を少し苦しそうに見ながらも黙ったままで、見ていた」（同、九六頁）。そのとき、語り手の「わたし」は、ただ言葉では表せない何かを共有している。「あぁ、巻子も緑子もいま現在、言葉が足りん、ほいでこれをここで見てるわたしにも言葉が足りん、云えることが何もない、そして台所が暗い、そして生ゴミの臭いもする」と語っている（同、九七頁）。上野千鶴子の言葉を借りれば、これは「近代個人主義の言語では語りえないもの」に出会うことである（『〈おんな〉の思想』、三七頁）。そして「女はつまずき、口ごもる」。生むか、生まないかの問題を語るにはあまりに「ことばが足りない」（同前）。

二〇二二年に公開されたNetflixオリジナルシリーズ『ヒヤマケンタロウの妊娠』はまさに、性と産を「男の側」の問題としても考えてみる物語である。男性が妊娠も出産もするようになった世界が舞台であるが、まだマジョリティではない。広告代理店の第一線で活躍する出世欲のある会社員桧山健太郎は、思いがけず自分が妊娠していることを知り、パートナーの瀬戸亜季に告げる。健太郎の乳首から母乳が漏れたりと驚くほど生々しい描写もあり、妊娠中の体調の問題のみならず、売れっ子ライターの亜季も、自分が親になることは想定していなかったため、「産むか、産まないか」を考える二人に、将来にむけての経済的な問題、差別の問題が重くのしかかってくる。

妊娠する以前は「子煩悩っていえばきこえはいいけど、じっさい重要な仕事には就けないよなぁ」（エピソード1）と他人事のようにいっていた健太郎だが、まさか自分が妊娠するだろうとは考えていなかった。また、亜季の方も「子どもは嫌いじゃないけど、子育てしながら今の仕事はこなせないかなぁ」（エピソード1）と、妊娠と出産は二人にとって現実的な問題のように感じられていない。じっさいに健太郎が医師から妊娠を告げられるとき、「分かりますよ。男性にとって妊娠は他人事ですからね。ゆっくり理解していけば大丈夫です」といわれている。しかし、会社ではつわりなどの苦しみで仕事のパフォーマンスも落ちる。妊娠をひた隠しにしていたため、当然誰からも同情を得ることができず、企画が通っていたアパレル会社のプロジェクトのチームリーダーからも降ろされてしまう。その間、健太郎は中絶する意思を固め、亜季からも承諾書にサインをしてもらっていた。

しかし、同僚が引き継いで行ったプレゼンではクライアントから「インパクト」がないと批判されてしまう。それをきっかけに、健太郎は「男性妊婦」という社会的マイノリティを経験している自分こそが広告塔になって、男性の妊娠をテーマに企画を立ち上げようと提案した。「そんな私がモデルとなり、自らこの広告のコンセプトを語れば、大きなムーブメントをつくれるんではないでしょうか」と社会的な意義も訴えている（エピソード3）。さんざん迷った挙句、なんとか勇気を振り絞ってカミングアウトし、おかげで周りからの理解が得られ、ようやく「男性妊婦」への差別を幾分か軽減することができた。こうして物事が動き出すと、今度は健太郎から亜季に「おれ一人で育てるから。亜季には絶対迷惑かけない」（エピソード3）と今の社会では「女の側」から発せられるような台詞《せりふ》を吐いている。最終的に健太郎がシングルマザーならぬ「シングルファーザー」とはならないのは、亜季が子育てに協力するという決意をするからである。性と産が、女だけでなく、男にも降りかかる問題となれば、すなわち他人事でなくなれば、『乳と卵』の巻子と緑子の父親との間で責任が不均衡になるようなことは避けられるのかもしれない。

5　差異の問題——森崎和江『第三の性』、ルシア・ベルリン『掃除婦のための手引き書』

現代のフェミニズム思想では、「すべての女性は抑圧されている」という考えが中心的であることは事実である。しかしあらゆる女性が同等に抑圧されているのではなく、ギリガンがインタビューしたサラのように、生活保護を受けながらシングルマザーになる未来に不安を抱えている女性がいることを考えると、経済格差にあえぐ人、あるいは人種的、性的マイノリティが経験する〈差異〉は確固として存在することに注目する必要があるだろう。ベル・フックスは、虐待や貧困を経験した黒人の立場から、差異は容易には乗り越えられないと考える。物質的に恵まれ、高等教育を受け、さまざまなキャリアやライフスタイルを選択することができる女性が「抑圧された者同士団結しよう」というようなスローガンを用いるとき、フックスはそれが多くの場合「多くの特権階級に属する女性が自分たちの社会的地位と多くの女性の地位との違いを黙殺するための言い訳」であると指摘している（『ベル・フックスの「フェミニズム理論」』）[14]。

そして、日和見主義的な女性たちは、フェミニズムの成功を賞賛するだけでなく、女性がすさまじい勢いでこの国の貧困層の大多数を占めつつある世界において、シングルマザーが社会病理化している世界において、貧しい人びとや低所得者層が自分たちのためのいかなる国家援助も受けることのできない世界において、そしてあらゆる年代のほとんどの女性が基本的な健康管理をすることのできない世界において、「すべての女性の生活は向上してきた」ので運動はもはや必要ではないなどと言っている。（同、一五頁）

ノンフィクション作家の森崎和江（1927–2022）による著書はいずれも底辺女性たちの声を記録したきわめて重要な仕事であるが、たとえば『からゆきさん――異国に売られた少女たち』[15]（一九七六年）や『まっくら――女坑夫からの聞き書き』[16]（一九六一年）には、まさにフックスのいう「いかなる国家援助も受けることのできない」貧困のなかで生きる女性たちの語りがある。

自伝的フィクションとして森崎が書いたのは『第三の性――はるかなるエロス』（一九六五年）であった。性のみならず、出産や母性を肯定する立場と、否定する立場を、二人の女性に代表させている。バツイチ子持ちの「沙枝」と気管支拡張を患う横臥者《おうが》「律子」は、いわゆる特権を持たない女性であり、彼女らが差異を互いに認識する様子がノート交換によって見えてくる。印象深いのは自分の足で動くことができなくなった律子が「自己の型」という近代西洋の個人主義さえ主張できない横臥者の言葉を紡いでいることだ。彼女は子どもが生める沙枝や、たとえば社会で活躍している「A新聞社の省子さん」などの健康な女性たちについてこう書いている。

わたしが彼女みたいにバリバリ健康であったなら、きっとああなりましたよ。あんなふうに社会の一隅に座をしめ、その権利を拡大しようとやみくもに動いて。そこにある部分性・具体性をかたっぱしから手がかりにして自己の型をなんとか作ってゆこうとしたにちがいない。こんなに沢山の思考の型が群れているんですから休むひまなく追っかけて、自分に詰めこみ、そして積み上げて自己をみきわめれば、性も生きえると思ったにちがいない。(『第三の性』[17])

また、律子は「性は女にとって収入を弱めている」(同、六九頁)という鋭い指摘をしている。他方、沙枝は、彼女たちが担わされてきたケア労働がいったいどこから始まったのかに思いをめぐらせている。未開の時代までさかのぼって、「そんな環境は性集団に共通する性的精神風土をつくりだす基盤になっていったこと」や「自然界にたいする防禦と加害性の下地のなかへ人間くささへの求心性が織りこまれて、人々の情欲は発生し育っていった」と推測している(同、七一頁)。そこから人類のくらしが発展期に入ると、「男女が互に自然体として交渉を行なうことが困難である精神領域」が生み出されていったと語り、「男は家のなかでも牛耳をとった。女は、地位をおとされ、隷属させられ、男の性欲の奴隷、たんなる産児道具となった」(同、七八頁)というエンゲルスの言葉を援用しながら、女性がいかに「自然」に限定されそこから動けなくなるかについて次のように語っている。たとえば、「性交渉はまるきり女を藁束として抱くように自然抱擁的になる」など、女性は「その存在が美化などというお化け的ベールを得たわけではなくて、エンゲルスをふくめて男性の性観念のなかで自然体とイデエとに分離したのですよ」と語っている（同、七九頁）。

　沙枝の言葉を介して森崎は、男女間にある壁の乗り越えられなさを「個体内部にある保守性」によって説明している。そして、「女たちの性を閉塞させた支配権力」は、「男たちへも似たような作用をおよぼしてはいる」と力説する（同、八七頁）。たとえば、男女の口喧嘩を九州の方言を交えて再現することで他者支配欲と被支配の対立関係から動けない状況を表現する。「あんた、女にやさしくすることがいるか、という抱き方は根性がくさっとるよ」や「そんならあんたをいんばいのごと、うちがあつかっていいというとかね」というと、男は「だれがいんばいのごとあつかえといった。おれがおまえをいつ、いんばいにした。やさしくしてくれということじゃ、世間はわたれんというとろうが。わからんか」と答えている。女は、「うちは、あんたのその根性をくさっとるというとたい」といい、男は「ああくさっとる。おれはくさっとる。けど、きさまのくさりかたよりよっぽどましたい」と返す（同、九三頁）。この対立する地点から男女が動けない状況に対して、沙枝（森崎）は、「個体に固有な保守性や伝統をうらがえすエネルギーは、どう穴をうがてば噴出するのでしょう」（同、九四頁）という問いに行きついている。すなわち、四方壁に取り囲まれたような個が他者と分かり合えるには、壁に「穴を穿つ」必要があり、それはまさにウルフが〈多孔質〉といったものと同じ発想といってもよいだろう。

近代西洋社会が構築してきた「個」、とりわけ男性と女性の「個体」の境界線を乗り越えて、内面世界が互いに、流動的に行き交うような〈多孔的な自己〉を、森崎は描いている。それはちょうどウルフが、男女が「分割」されていると感じたときに、両性が協力することこそが重要だと考えたのに似ている。第一章でも触れたが、ウルフはこの精神を二人の「男女がタクシーに乗り込む」光景に喩《たと》えることで、自己のなかに二人の男、あるいは男性性と女、あるいは女性性が内在しているイメージを描き出している（拙著『ケアの倫理とエンパワメント』、五七頁）。

森崎は、階級の異なる女性たちの経験を想像する営為を通して、共鳴しやすい〈多孔的な自己〉をまさに言葉によって創造しようとする。たとえば、「断層」や「真空地帯」という言葉を用いて、沙枝に、このような意識の差異について語らせている。


生むことをはばまれて生きているたくさんの女たち——　律子さんのように病気で孤立している人。男たちへの不信から婚姻へ入れぬ者。性を売りつづけねばならなかった人たち。差別意識から混血を拒否された女。経済的理由によってまた身分意識によって、生理開眼を体験しつつなお生殖否定を生きねばならない人々。亭主から、亭主自身の原基体に対応しえないと判断されたため避妊手術を行なわせられた妻。貧困をささえるためにだけ生きてきた老婆たち。かずかぎりない同性たち……（『第三の性』、一四〇頁）

森崎が沙枝に語らせるこの言葉は、貧困層や非白人の女性の問題について語るベル・フックスの差異への意識と同質のものだ。沙枝は結核を持ち病弱だったが、詩を書きながら子供を生んで育てたかった。「熱でがくがくしていてもおむつは洗いたかった。子供を背中にくくりつけて詩は書きたかった。奥さんということばや家の概念にはどうしてもなじめなかったけれど、一対となった男女のいみや親子の世代の緊張はつくりだしたかった」、彼女はそう語っている(同、一四〇〜一四一頁)。森崎は、この「真空地帯」と呼ぶ女性間の差異を、言葉を生み出すことで乗り越えようとする。「それぞれの動かしがたい自己条件を、この世界的な閉鎖破壊へむけて押し出す力を共有しあうんです」(同、一四四頁)。このような言葉を文字通り「生み」出しながら、森崎はパフォーマティヴに言葉の陣痛を経て出産しようとする。そして、「きっとこの真空地帯は偉力を弱めてきます」と希望を捨てていない(同前)。

アメリカにおいて底辺女性の声を掬《すく》い取っていた書き手としてはルシア・ベルリン(Lucia Berlin, 1936–2004)がいる。彼女の短編集『掃除婦のための手引き書』(*A Manual for Cleaning Ladies*, 1977)は女手一つで四人の息子を育て上げた彼女自身の実人生を下敷きにしている。訳者の岸本佐知子によると、彼女は一九七一年からアメリカのカリフォルニアに暮らし、「学校教師、掃除婦、電話交換手、ERの看護助手などをしながら、シングルマザーとして」子育てをした[18]。表題作「掃除婦のための手引き書」には、掃除婦を経験しながら創意工夫をした彼女の声が混じっている。マギー・メイと呼ばれる「わたし」は、「新しい奥様」に向けて次のように自己紹介している。「つい最近アル中の夫に死なれて、四人の子供はまだ育ち盛りです。子育てや何やかやで、今まで一度も働いたことがなかったんです」（「掃除婦のための手引き書」[19]）。じつは、これが嘘なのかどうか分からない。なぜなら「わたし」のパートナーだったターという人物はじっさいに亡くなっているからだ。「ターはよく、わたしが何でもかんでも取っておくといってからかった。／『なあマギー・メイ、この世にずっと取っておけるものなんか一つもないんだぜ。ま、おれだけは別かもしれないけどな』」（同、五六頁）というターの言葉からは、生前のこの二人の関係性が推測できる。おそらく男女の境界線を越える心の交流があったのだろう。

「わたし」は多孔的な人物でもあるようだ。というのも、〝学がある〟「わたし」（ことベルリン）は、「古株の掃除婦たちからなかなか打ち解けてもらえない」（同、五五頁）と思いながらも、「古い仲間」黒人メイド三人と一緒にバス停で置いてけぼりをくったとき、「糞《くそ》ったれ運転手」と言いながら、次のバスが来るまでの一時間おしゃべりをして過ごしている（同、五四頁）。本来ケア労働に従事しないかもしれない女性が掃除婦をしながら、豊かな物語を綴り、境遇の異なる女性の差異を埋めていく。たとえばミセス・ジェセルは富裕層に属する女性だが、認知症を患っている。介護が仕事でないはずであっても、掃除婦の「わたし」は、「気の毒」な彼女がいちいち電話をかけてきても、応対している。最終的には辞めているが、辞めたいと思っていても、やはり「わたししか話す相手がいない」と思うと、なかなか辞められないでいるような女性である（同、五三頁）。掃除婦の仲間がなぜミセス・ジェセルのところで長続きするのか不思議に思うほど通い続けた。

「掃除婦のための手引き書」を読んで、はっとさせられるのは、「わたし」の豊かな生である。フェデリーチが論じたように、多くの女性たちは資本主義によって確かにケア労働を押し付けられるようになった。シングルマザーの「わたし」もその一人である。しかし、彼女はケア労働者と連帯して革命を起こすのではなく、日々の生活のなかで小さな革命を起こしている。それはリンダとボブという古くからの友だちの家の「大してお金にならない」ケア労働を引き受けた「わたし」が、「丹精こめて働く」ことだ（同、五八頁）。そして、友人二人のぬくもりが残っている家で、さまざまな発見をすることだ。「ボブからリンダにあてたメモ、〈タバコを買って、車を持ってって……うんぬんかんぬん〉。ママだいすき、と書いてあるアンドレアのお絵かき」（同、五七頁）。「わたし」のケア実践が金銭価値のためのものではないと行動で示すとき、ベルリンのこの短編に資本主義の価値観では働かないという明確な意志を見出す。社会の底辺で生の喜びをみつけることこそ、そしてそれを言葉で記録していくことこそが、資本主義の価値に対する反抗表明になるのかもしれない。

「わたし」の明るい語り口の陰には、死がまとわりついている。しかし、逆説的に「死」が掃除婦のシングルマザーと彼女が「本物の奥様《レディ》」と呼ぶミセス・ヨハンセンの差異を埋めている。ターの死を思い出しながら、何不自由なく暮らす富裕層の女性が半年前に喪《うしな》った夫ジョンの話を「わたし」はじっと聴いている。この「大鴉《おおがらす》のおしゃべりを、もっと聞いていたかった」とさえいっている（同、七二頁）。掃除婦と雇用者との関係は不均衡だが、同じ女性としてパートナーや家族を喪う体験は、その距離をある程度縮めるのかもしれない。

森崎は、支配者である男性と、生殖を含むケア労働を引き受ける被支配者である女性との関係性、あるいは「保守性や伝統」を「うらがえす」ためのエネルギーについて問いかけていた。まさにこの「裏返し」をやってのけたのが、多和田葉子である。「犬婿入り」(一九九三年)は、学習塾を経営する北村みつこという女性のもとに〈犬男〉が住み着くという異類婚姻譚なのだが、男女の立場をひっくり返すということをやっている。


男は、みつこのからだをひっくりかえして、両方の腿を、大きな手のひらで、難無く摑んで、高く持ち上げ、空中に浮いたようになった肛門を、ペロンペロンと、舐め始めた。(「犬婿入り」)[20]

このように、太郎と呼ばれることになるこの〈犬男〉は、すべてのふるまいが奇態なのだが、彼の身体そのものも、きわめて重要な位置をしめている。「両方の腿を、大きな手のひらで」といったいかにもエロティシズムを示唆するような言葉に続くのが「肛門をペロンペロンと、舐め」るという行為である。男性原理が支配する言葉が、まるで母犬が子犬を「ペロンペロンと」舐めるかのような、どこか女性的な擬態語で脱臼させられている。

ほかの場面では、暴力性を示唆しうる太郎の大きな手がケア労働をやってのけるのだ。とりわけみつこと自分に食事を作り、一緒に食べる場面は衝撃的である。

台所へ入ると、食事の用意ができていて、ちゃぶだいにきちんと並んだお茶碗もお椀も小皿も、男の手があまり大きいので、おままごとの道具のように見え、そこに坐ってみつこを待ってい た男は、みつこを見ると、オアッというような歓声を上げて、御飯を食べ始め、その食べ方にはどこか上品なところがあったが、同時にまた、恐ろしく勢いがよく（中略）みつこが恨めしそうに見ていると、お椀の底まで大きな舌できれいに舐めつくして、急に立ち上がり、縁側に置かれたままのトランクから、雑巾を取りだして流しで洗って絞って、それで廊下を拭き始めた。（同、九九頁）

句点が一度も打たれないまま、一息で綴られたこの文章には、男性的な大きな手を持ち、威勢よく食べる、いかにも不器用そうな太郎が、料理や廊下の拭き掃除にいたるまでケア労働をどれほど見事にやってのけているかが、滑稽なまでにアンバランスな風に描かれている。

この太郎はある事件がきっかけで「変身」して犬男になってしまったのだが、それ以前の会社勤めをしていた時代でも、男性原理に乏しい、気の弱い男で、しかも気乗りしないにもかかわらず、同僚の良子という女性と結婚までしている。その頃は「飯沼」と呼ばれていて、男性的な折田という同僚には「からかい」の対象となっていたくらいである。まさにフィルとピーター（あるいはローズ）の関係を想起させる。飯沼は同僚の女性が噛んだ鉛筆を誤って使いたくないという過度の潔癖症で、いかなるニオイも受け付けない。そういう神経の繊細なところが、からかいの原因であった。「女の子のかじった鉛筆をもらえるなんて、うらやましいねえ」（同、一一三頁）とふざけていう折田は、ますます固くなる飯沼を見て、彼に「男らしさ」を注入すべく「そんなことでどうする。神経は太く持たないと駄目だよ」とさえ忠告している（同前）。

あるとき、何匹もの犬に嚙まれた飯沼は〈犬男〉に変身し、みつこの家に転がり込むことになる。それ以降、彼は極端にニオイを嗅ぐことに夢中になってしまい、それと同じくらい極端に家事労働に打ち込むようになる。ピーターを彷彿《ほうふつ》とさせるような軟弱な飯沼に、大江もモチーフにした「犬の魂」が注入されたことによって、「有害な男らしさ」が植えつけられるのかと思いきや、ここでも期待が裏切られる。多和田は、異類婚姻譚というモチーフに基づいて、それにより、ジェンダー役割の転換、ケア労働の価値の反転を行っているのだ。また、多和田の他の小説にも見られる特徴だが、異性愛主義や家族主義をも手放している。みつこと太郎が恋愛関係に陥ることもなく、結婚して子を生み育てるわけでもない。みつこは塾の生徒である扶希子と少しずつ親密になる。読書よりもボタン付けの方に関心を持つ扶希子を面白がるが、「あたし、先生みたいなインテリじゃないから」という扶希子との、二人の間にある差異が強調されている（同、一三二頁）。他方、飯沼太郎は扶希子の父親である松原利夫と旅行に出るのだが、特段それが違法であるということもなく、元同僚だった折田も彼らを追いかけることはしない。また、みつこも扶希子とともに「ヨニゲ」するという結末も、家父長制的な社会のお約束を裏切っている。多和田の作品における「クィア的な性質は、異性愛という標準を超えることは言うまでもないが、必ずしも同性愛につながっていない」というトム・リゴールトの指摘に、筆者も賛同する。言葉を脱臼させつづける多和田ならではの戦略は、分かりやすい物語を反復しないことによって、さまざまなイデオロギーに揺さぶりをかけ、新しい現実を創造する道を切り開いている。[21]

この章では「有害な男らしさ」をキーワードに、両性具有的な思考や女性間の差異について思索する文学作品を読んできた。初めに取り上げたサヴェージの『パワー・オブ・ザ・ドッグ』におけるフィルの男性原理を根源とする「犬の力」は、大江の『万延元年のフットボール』では鷹四の「犬の魂」と共鳴するような暴力性に満ちた性質を帯びている。他方、多和田が同じような神話的な力を飯沼太郎という〈犬男〉に吹き込むとき、男性原理を中心とする所有の物語から、ケアの物語に大きく反転させている。ウルフは両性具有的、〈多孔的な自己〉を想像し、多和田葉子は人間のクィアな性質を描き、森崎は男女の間に、あるいは女性間に横たわる差異を乗り越えようとした。なぜこのように女性作家たちにとってのユートピアには、ジェンダーレスの世界が描かれてきたのだろうか。

それは、長いこと「有害な男らしさ」という男性原理が根源となってきた性と産の物語に対抗するだけの力があると信じたからだろう。そして、その男性原理は異性愛主義とともに、資本主義社会において女性を所有することを正当化する支柱として機能してきた。それはフェデリーチが示したように、近代における「主婦の誕生」や魔女狩りを通じて、女性のエロスの力が労働に変えられてしまうという破壊的な性質さえ帯びている。

男性原理に貫かれた資本主義社会における支配者と被支配者の対立は森崎和江によって疑問に付され、また彼女が「断層」、あるいは「真空地帯」と呼ぶ女性間（＝被支配者の間）の差異についても、たとえば「沙枝」（子育てというケアを担う女性）と「律子」（子どもが生めない横臥者）との対話を通して、その距離が詰められていく。ギリガン、ウルフ、ベルリン、森崎、川上、多和田らの「女の側」のケアの物語は、近代社会における〈自律的な個〉が他者を所有し、支配しようとする物語を否定する。一方でこの章で取り上げた、サヴェージや大江といった作家が描く「男の側」に刻まれた傷を理解することもまた、我々読者が〈多孔的な自己〉を獲得する一歩になるのではないかと思う。それぞれの自己が、他者に、すなわち互いに開かれていながら関係性を持とうとする相互依存の物語を言祝《ことほ》ぎたい。

第五章　死者《ビラヴド》の魂に思いを馳せる——想像力のいつくしみ

1　生のかけがえのなさ

わたしはすぐにおまえの墓石を買いにいったんだよ。だけど銘を彫らせるお金がなかったから、わたしにあるもので受け取ってもらったの（物々交換って言えるかもしれないね）。全部彫ってくれって頼むことを思いつかなかったのを、今日の今日まで後悔してる。パイク牧師が喋ったことで、わたしの耳に入ったのは、「かけがえなく愛されし者《ディアリービラヴド》」、これがわたしにとってのおまえなの。それじゃ一言《ビラヴド》だけしか彫れなかったことは悔やまなくてもいいんだ。（『ビラヴド』[1]）

墓碑銘は、古来より愛されし者の死を悼む「哀歌」の一部とされてきた。墓碑銘は「その小さな墓石の上に人生すべてを描くことのできる」ものであり、「『喪失した過去についての瞑想』を促すもの」ともされていると英文学者の友田奈津子はいう。[2] ノーベル文学賞受賞者のアメリカの作家トニ・モリスン（Toni Morrison, 1931-2019）による『ビラヴド』は、南北戦争前後の時代を背景に語られる逃亡奴隷セサと彼女が自らの手で生を奪うしかなかった娘の悲劇の物語であるが、そのタイトルはセサが墓碑銘に刻んだ「ビラヴド」からきている。幽霊となって蘇る娘をめぐるこの物語は母親セサの愛《いと》しい我が子への全身全霊の哀歌だといえる。訳者の吉田廸子《みちこ》によれば、この小説は、一八五六年に起きたマーガレット・ガーナーという実在した逃亡奴隷による子殺しの事件から着想された。[3] 西アフリカから連れ出された推定「六千万有余の人々」に捧げられた鎮魂歌であること、またモリスンが文字通り「無名」の赤ん坊の死を主題に選んだこと――「ビラヴド」は「愛されし者」という一般的な墓碑銘でもある――とは、二重の意味で〝普遍性〟を帯びている。

死者に思いを馳せる近代文学の系譜は、十八世紀イギリスの前ロマン派詩人トマス・グレイの「墓畔の哀歌」までたどれるだろう。[4] 友田奈津子によれば、グレイの想像力が生み出すこの詩において、墓の崇高さ、美しさは言葉一つひとつに凝縮されている。そして、その「墓」とは、かつては生を得て、日々の暮らしを送りながら千々の悲しみや喜びを抱いていた無名の人たちの比喩でもあり、この文脈における「墓」とは「そこに眠る人その人自身」である（『田舎の墓地にて詠める哀歌』の消された夜」、一三七頁）。彼らは地位や名声を得た人間ではなく、ハムデン、ミルトン、クロムウェルといった時代の寵児になりえたかもしれない、しかし生を終えてみれば、無名の誰かとして埋葬された死者であり、だからこそ、墓石はその人たちの記憶を探り当てる場所でもある。

死者とは究極の他者である。そして「他人とは、自分でない人、自分と別の人のことである。他人を見たとき、私はそこに人間以外の生物でもロボットでもなく、私と同類の人間を見ている」と精神科医の木村敏はいう（『関係としての自己』）[5]。「同類の人間を見ている」とはどういうことだろうか。とりわけ分断が深刻化している今日、他者を自分と同類の人間として見ることは困難になってきているのかもしれない。それは、近代人が個の自立や自己責任に重きを置きすぎるあまり、潜在的に懐疑心と攻撃性を抱え込んでしまっているからだ。これは、前にも触れたチャールズ・テイラーの〈緩衝材に覆われた自己〉の議論にも通じるだろう。前近代的な、他者との間に回路が通じているのが、〈多孔的な自己〉——より通気性のあるスピリチュアルな自己像——であるとするなら、緩衝材で覆われた自己像というのは、他者から閉ざされてしまった近代的な自己である。セサを奴隷として所有していた「先生」や「鞭《むち》で打ちすぎ、〔セサたちを＝引用者注〕逃亡させてしまった」彼の甥にとって（『ビラヴド』、三〇六頁）、セサも彼女の子どもたちも彼らの所有物にすぎない。

そもそも、モリスンの物語の中核をなしているセサの悲劇は、黒人の奴隷たちを所有することができるという白人たちの認識によって生じた。セサ自身は、自分が所有され、モノのように扱われ、最終的にはその場所から逃亡したのだが、そこで起きた出来事を長いこと直視できずにいた。「ビラヴド」は、黙って墓石の下に眠ってはいなかった。幽霊となって、自分を殺した母親のもとに現れ、その存在を彼女や家族に分からせた。彼女はのちに生身の肉体を持った大人の「幽霊」としても蘇る[6]。着想のもととなったガーナーの〝子殺し〟の物語は、こうしてモリスンによって生者と死者の共生の物語へと再創造された。

近代的な自己にとって、他者はいつも「絶対に知りえない固有の主体的内面を生きている」といえるかもしれない（『関係としての自己』、七五頁）。そう考えると、「近代における人間学は外から人間を見た外的人間の人間学たるに過ぎない」と、「続思索と体験」のなかで語る哲学者の西田幾多郎[7]は慧眼《けいがん》である。「真の人間学は（中略）内的人間の人間学でなければならない」と西田が主張するのは、他者の内面にアクセスしようとする、より多孔的な自己像にも通ずるアプローチなのかもしれない。その上で、西田は「真の自己は単なる自己ではなくして人間でなければならない」と訴え、よりホーリスティック（全体的）な人間像を想定している（同、二六頁）。

この問題意識は、鷲田清一によっても共有されている。鷲田によれば、十七世紀以降の西洋近代の思想は、「主体の自己固有性を、他者とは異なるものとして自己内在的に規定しようと」してきた。このような固有性を持つ自己像は「わたしがじぶん自身を時間の変化のなかで同一のものとして『とらえる』（＝持つ）」という「自己」のアイデンティティを成立させるものとして理解されている。その意味において、自己は「他者にたいして身を閉ざすもの」として考えられている（「所有と固有」[8]）。西洋社会におけるこのような「自己」の捉え方は、近代の所有論と分かち難く結びついている。なぜなら「土地や物件の所有より他者の所有ということのほうが人類史においては根が深いかもしれない」からだ（同、一〇頁）。

奴隷制からはじまって雇用というかたちでの労働者の所有まで、あるいは家族制度（たとえば親権）や婚姻関係（特定他者間の独占的な関係の設定）から売春行為まで、個人が別の個人の存在を（一時的であれ）所有するという局面に、〈所有〉の問題がより先鋭的なかたちで現われでていると考えられる。（同前）

他者とは異なるものとして「自己」を規定しようとすれば、他者を所有する対象として見なす思考も可能になる。また、「時間のなかでおなじ自己を『保ちつづける』意識のはたらき」のなかに、「人格の同一的な存在の根拠が探しもとめられ」る、そういう「自己の所有」という見方は、「〈存在〉を〈所有〉に定位して理解しようとする思考」でもある（同、二二一頁）。

しかし、人間はほんとうに他者に対して身を閉ざすのか、と鷲田は問い直す。そして、彼は次の文章で自他の境界線を越境するような――すなわち固有／所有という足枷《あしかせ》から自己像を解き放つようなイメージを思い描いている。

〈わたし〉の独自性とはわたしが「わたしのもの」として所有しているものによって証明されるのか。それよりも〈わたし〉の独自性とは、固有／所有というプロブレマティックスのなかでではなく、むしろ**他者の存在との関係のなかでまるで贈り物のように届けられる、あるいは与えられるもの**ではないのか。（同、二二三頁、ゴチックは引用者）

人間の独自性は孤絶する自己に内在するのではなく、他者の存在との関係のなかに「まるで贈り物のように届けられる」という鷲田のこのケアに満ちた言葉は、まさに『ビラヴド』の小説世界とも響き合っている。この作品には、沈黙する赤ん坊の冷たい墓碑の代わりに、鮮やかな存在感を放つ「ビラヴド」が姿を現し、その「幽霊」は肉声を与えられている。それによって、抑圧されていたセサの自己もこの赤ん坊（のちに若い女性としてセサのもとに現れる）に向けて開かれ、生者の領域と死者の領域が溶け合うことになる。

文学を読む実践は、木村のいう「同類の人間を見ている」ことに繋がるのではないだろうか。文学には、他者を人間として見なくてもよい、そう開き直ることを思いとどまらせる不思議な力がある。なぜなら「生」を凝視することで生み出される言葉の実践によって、読者の想像力が喚起されるからだ。モリスンは、全米図書賞財団から一九九六年にアメリカ文学特別貢献賞を受賞した際に行ったスピーチで、次のような言葉を残している。

鮮やかで目もくらむほどの布に隠れて、宝石の下で脈打ちながら、**本の世界の命は、とても厳粛なものです**。その本当の命は、知識を創造し、生み出し、広めることです。権利を有する人たちばかりでなく、疎外された人々も、他の人の心とともに心が躍ることを経験できるようにすることです。この仕事がなされている環境が、温かく人々を迎え入れ、支えあうものである

ことを確認することです。[9]（ゴチックは引用者）

「本の世界の命」は、疎外された人々の心さえ躍動させる。文学の力が発揮されるのは、脆弱《ぜいじゃく》でありながらも、かけがえのない「生」を取りこぼさないよう言葉が紡がれるからかもしれない。

人間が精神や肉体を病むのを止めることはできない。ましてや力を持つものによって無力化された脆弱な人間が自分の運命を変えることなどできるはずもない。だからこそ、疎外された人々の生が、権利を有する人たちの生と等価値であり、彼らと同じように取り消しえない一度きりのものであることを物語として語ることに意味がある。苦しんで死ぬのなら、生きていても仕方ないというのではない。哲学者の板橋勇仁《ゆうじん》によれば西田幾多郎にとって「今この私を生きることは、今この私を死ぬこと、今この私が他では在りえぬ私、二度と取り戻しえぬ私、永遠に失われる私になることだ」。[10]西田幾多郎は、生と死は「外的に対立するものではない」と主張する。「今この瞬間を生きることは、まさに今この瞬間をそれとして死に逝くこと」だという。つまり、西田にとって「生」とは「あたかも道路の終着点のように」、事後的に死によって断ち切られるようなものではない（同前）。この西田の思想によって再評価されるのは、今たった一度だけ生きることで「過去と未来とを担う今この現在の永遠のかけがえなさを自覚すること」を肯定することである（同、七七頁）。モリスンが行っているのは、他者の瞬間、瞬間を再創造することで、彼らの生の「かけがえなさ」を読者と共有するというケアを含んだ語りなのである。

他者を生身の「同類の人間」として見ることができていない場合に、「奴隷」「犯罪者の家族」「病人」「老人」といったカテゴリーで人を見てしまうといったことが起こりうる。そして、他者の生の「かけがえなさ」を語ることは、このようなカテゴリーに回収されてしまう人たちに、具体的な生を——事後的に——与えることであり、他者というだけで無関心、忌避、あるいは嫌悪の対象にされてしまう不条理に抗議する態度でもある。他者もまた自分と同じように「今この瞬間をそれとして死に逝く」存在であると思えるなら、そこに外的なレッテルが見えなくしてきた具体的な人間像が現れる。差別により死にいたらしめられる者とその過酷さを知らない者、老いを経験している者と年若い者、病に臥す者と健康な体を持つ者、果たして、このような差異を乗り越えて他者の傷つきや死を凝視することはできるだろうか。最終章では、モリスン『ビラヴド』、平野啓一郎『ある男』、石牟礼道子『苦海浄土』、ドリス・レッシング『夕映えの道——よき隣人の日記』などを分析しながら、他者への想像力を働かせることがいかにケア実践に繋がるのかについて考えてみたい。

2　想像することのできる恩寵——トニ・モリスン『ビラヴド』

「本の世界の命」はどのように生き延びるのか。『ビラヴド』では、生の一瞬、一瞬が「反復」して語られることによって、命のかけがえなさが表現されている。あるいは、失われないよう補完されているといっていいだろう。幾度も反復して語られるのは、逃亡奴隷であったセサの忌まわしい記憶だけではない。彼女を死の淵から救い出したエイミーという少女の物語も語られる。また、殺されてしまった「ビラヴド」が幽霊としてふたたび「命」を宿すと、彼女はセサの愛を独り占めしようとしたり、妹のデンヴァーが語るセサの物語に耳を傾けたりする。

農園から逃亡を図ってから十八年が経ち、セサは一二四番地で娘デンヴァーと殺された赤ん坊の霊と暮らしている。セサたちを庇護《ひご》してくれたベビー・サッグスはすでに亡くなり、セサの息子たちも家出をしていなくなっていた。そこに、かつて同じ農園で働いていたポールDがやってきて赤ん坊の霊は追放されるのだが、その後、ビラヴドと名乗る大人の女性が現れる。デンヴァーにとってのお気に入りの物語は母親セサの逃亡の物語だが、そのときに起きたすべてをデンヴァーは知らされてはいない。デンヴァーいわく「話してくれたのは、奴らが母さんを鞭で打って、母さんはお腹が大きかったけど逃げ出したことだけよ。お腹の中にいたわたしと一緒に」（『ビラヴド』、七九頁）。

それでもデンヴァーは、この断片しか語られていない物語を情熱的に語る。そのなかでも、母親のセサが身重の体で三人の子どもと逃亡している最中にエイミーという白人の娘に出会い、彼女の助力によって無事にデンヴァーを出産することができたという女性の連帯の物語はとりわけ気に入っている。エイミーの「口のまわりには、ちっとも意地悪なところがなかったって、母さんは言った。その子は、母さんをその差し掛け小屋まで連れていって、足をさすってくれたのよ。だから、それが一つの証拠でしょ。それで母さんは、その子が自分のことを密告したりはしないって信じた」（同、一六一頁）。

デンヴァーがあまりに臨場感溢《あふ》れる仕方で語るため、彼女自身でさえ「自分が語っている話を、耳に聞くばかりではなく、目で見始めた」くらいである（同、一六三頁）。ここには「同類の人間を見る」という行為が印象深く差し挟まれている。小説で何度も繰り返されるもっとも鮮烈なイメージは、やはり鞭打たれた背中の惨たらしい傷痕であろう。エイミーの善なる行為は、セサの足をさすって生還させたことだけに留まらなかった。彼女は、セサの背中を目にしたとき、「これは木だよ（中略）赤くてスイカをぱかっと割ったみたいだ、汁がいっぱいたまってる」と表現している。「おまえの背中には、木が丸ごと一本生えてるんだよ。花ざかりさ。神さんは何をたくらんでるんだろうと、考えちまうね」と驚嘆しながら、その背中の手当てをしている。エイミーは男たちに奉公して生き延びてきた自分の苦悩する過去に触れながら、「あたいだって鞭でぶたれてるけど、こんなふうにぶたれたおぼえはないね」（同、一六六頁）といっている。エイミーは、自分を鞭で打ったバディという男が父親であるということを信じないとセサに伝えながら、彼女に寄り添ってもいる。そして、セサもまた自分の父親が誰なのかを知らない。

より鮮烈なのは、子殺しの際にセサ自身が目に焼きつけた墓石の「ピンクの斑点」の記憶である。セサは「夜明けのたびに朝焼けの空を見たのに、その色を見分けたり、意識したりすることはけっしてなかった」のだが、それは彼女が「赤ん坊の鮮血を目にし、別のある日にピンクの墓石の斑点を見」たせいではないかと推測している（同、八四頁）。赤ん坊がなぜ母親であるセサの手によって殺されなければならなかったのか。その理由は、セサや彼女と同じ境遇にいた奴隷たちへの酷《ひど》い鞭打ちからも想像することができる。我が子を所有者の「奴隷」として生きさせるよりも自らの手で殺すことを選んだセサ（＝ガーナー）に、肉声を与え、死者である「ビラヴド」（＝おまえ）にその言葉の贈り物を届けているのである。

他に方法があったただろうだって。他に方法があったに違いないって言ったんだよ。たぶん、「先生」〔奴隷の主人＝引用者注〕に親子そろって引き立てられていって、奴がおまえのお尻を破る前に、巻き尺で測るのを許しておけっていうことね？　わたしはそんな目に遭って知ってるから、どんな奴にも、そいつが歩いていようが寝ていようが、おまえにまでそんな思いをさせるような真似《まね》は許すものか。させてなるものか。（同、四一一頁）

セサの〝子殺し〟は、白人が黒人を所有物として酷使し、暴力を働き、人間としての尊厳を奪うという悲惨な現実に追い込まれた奴隷女性が出した答えなのであり、単純な〝子殺し〟ではない。
鷲田によれば、近代の市民社会の根幹をなす「個人の自由」は所有論が前提となっている。近代社会の所有論は十七世紀以降の植民地政策に大きな影響を与えつつ、アメリカの所有概念の基礎となり、特権を持つ白人が黒人を所有物として支配するという仕組みを生み、奴隷制度の根底を支えていた。

わたしの金、わたしの土地、わたしの家、わたしの店、わたしの机、わたしの服、あるいはわたしたちの会社、そしてわたしの家族、わたしの身体。これらはわたしの持ち物であると同時に、わたしの〔アイデンティティの〕一部でもある。そしてこのprivate propertyの保全、つまりじぶんの所有物はじぶんで自由に処理する権利があるのであって、それを他人に、あるいは共同体や国家に、意に反してみだりに奪われたり処分されたりすることは認められてはならない。（「所有と固有」『所有のエチカ』、七〜八頁）

奴隷制が廃止される以前の時代、奴隷は主人に所有されていたがために、奴隷であった頃のセサ（あるいはガーナー）は「わたしの家族、わたしの身体」からでさえ、疎外されていた。だからこそ『ビラヴド』においては、他者の身体と別の関係性を結べるような物語が創造されている。そしてそこには、人間の所有欲に対抗する、そしてまた、セサの心的外傷《トラウマ》を回復させるケアの語りが総動員されている。

デンヴァーは、自分の想像力を働かせながら、母親のセサが逃亡して自分を生み落とす物語に、文字通り命を吹き込んでいくのだが、それは「所有」するためではない。

デンヴァーが微《び》に入り細《さい》をうがって、事こまかに話せば話すほど、ビラヴドはますます喜んだ。

そこでデンヴァーは、母や祖母が語ってくれた断片に血を通わせ——それから鼓動も打たせて、聴き手の質問を期待した。二人が並んで横になっているうちに、デンヴァーの一人語りは、実は二重奏になっていった。恋する相手をごちそう攻めにするのを愉しみにしている恋人よろしく、デンヴァーはビラヴドの興味を語ることでもてなした。(『ビラヴド』、一六四頁)

このように「血を通わせ」たり、「鼓動を打たせ」たりして、生き物のように物語を蘇らせるデンヴァーの想像力の原動力はベビー・サッグスの言葉だったのかもしれない。

集落の精神的な支柱でもあったベビー・サッグスが仲間に伝えようとしたのは、「彼らが手にすることのできる唯一の恩寵《おんちょう》は、彼らが想像することのできる恩寵」であるということだった(同、一八四頁)。彼女は、近代社会の「所有し、所有される」関係性を前提としない想像力による連帯を奨励した。それによって黒人の「生身の躰《からだ》」がケアされ、いつくしまれる場所というのが「ここ」であり、そうでない場所が「あそこ」である。ベビー・サッグスは「ここ、この場所では、わたしたちは生身の躰。泣き、笑う生身の躰。素足で草を踏んで踊る生身の躰。それをいつくしめ。強くいつくしめ」と鼓舞する(同前)。奴隷を所有する社会(＝「あそこ」)では、「あの人々はあなたがたの生身の躰を愛さない。あの人々はそれを軽蔑《けいべつ》してる。あの人々はあなたがたの目を愛さない。愛するどころか、抜き取ってしまいたいと思ってる。あなたがたが躰にまとうその皮膚だって、愛していない」(同前)。白人たちは奴隷の「皮膚に鞭を当てる」、そして「こき使い、縛り上げ、くくり、斧《おの》で切り落とし、虚《うつ》ろなままに捨てておくだけ」である（同前）。

ベビー・サッグスの「いつくしめ」という暁諭に従い、女たちはそれを実践する。語り部デンヴァーの豊穣な想像世界は、セサが逃亡中に入っていった「うっそうと繁った森」の豊かさと重ねられている。彼女は、まるで自らその森に入っていくかのように、物語世界に分け入り、進んでいく（同、六四頁）。孤独によって疲れきっていたデンヴァーにとって「こうした想像力の働き」は「是非とも必要」なのだった（同、六二頁）。この森の中で、語り部デンヴァーは「鳥の声や足に踏まれる木の葉の音を聞き、人家の影も見えない山の中を喘《あえ》ぎながら歩いていく母親の姿を見るところから始めなければならなかった」（同、六四頁）。なぜなら彼女はそこで母親のセサの生身の身体を観察し、エイミーのいつくしみを受ける場面まで語らなければならないからだ。そのために、デンヴァーはセサの足の状態を丹念に描き出す。

ほんとうはじっと立っているはずの二本の足で、セサは必死で歩いていた。その足は腫れあがり甲の形もわからなくなっていて、足首には感覚がなかった。脚の先端についていたのは生肉の塊で、五本の爪がホタテ貝のようにギザギザに広がっていた。（同前）

セサの足は逃亡でボロボロになっていたが、彼女が森で出会った白人の少女エイミーは手慣れた様子で「セサの爪先や踵《かかと》を持ち上げて、セサが塩からい涙を流して泣き出すまで、揉《も》んだのだ」った（同、七五頁）。
エイミーに言わせれば「死んでるものが生き返る時は、なんだって痛むものさ」。ここでデンヴァーの合いの手が入る。「それはどんな場合だってほんとうのことだわ」と（同前）。小説の終盤で、読者はビラヴドとセサの対話を耳にする。

わたしにほんとうのことを話しておくれ。おまえは向こう側からやってきたんだね？
そうよ。あたしは向こう側にいたの。
わたしに会いにもどってきてくれたのかい？
そうよ。
わたしを思い出すかい？
ええ、あなたを憶《おぼ》えてる。
（中略）
奴らがあなたの首に鉄の輪を巻いたら、あたしがそれを嚙みちぎってあげる。
ビラヴド。
あなたにまあるい籠を編んであげるわ。（同、四三五～四三七頁）

想像された世界において、現実世界では不可能である死者と生者の邂逅が描かれる。

なにより、この小説には何層にもケアが施されている。まず、瀕死のセサを生き返らせる「魔法」を行うエイミーによるケア。その次に、デンヴァーの想像力によってこの場面が再現されることによるセサへの精神的ケア。無名の死者ビラヴドにもケアが向けられている。最後に、ここでは虐げられた奴隷セサの身体を慮《おもんぱか》る読者の想像力も働くはずだ。この小説で描かれる女性同士の関係性は、近代の〈緩衝材に覆われた自己〉を乗り越える方法論を示唆しているようでもある。何度も逃亡を試みたポールDもまたセサが背負っている過去を理解している。「おまえ自身が、おまえのかけがえのない宝なんだよ。セサ。おまえがだ」（同、五五〇頁）。人間の〈存在〉を〈所有〉に定位して理解しようとする近代的な思考ではなく、〈所有〉を〈存在〉に戻すことでその非人間的な思考を乗り越えようとする発想である。虐げられ、ケアが顧みられなかった人たちが文学作品のなかで「生」を与えられるとき、こうして「かけがえのない宝」として読者の記憶に留まることが許される。

3　死んでしまった人が、また生き返って——平野啓一郎『ある男』『空腹を満たしなさい』

疎外された人間の生の足跡をたどる文学といえば、真っ先に思い浮かぶのは平野啓一郎（1975-）による『ある男』である。二〇二二年には石川慶監督によって映画化もされ、日本アカデミー賞で優秀作品賞などを受賞し、話題を呼んでいる。弁護士の城戸は「ある男」の調査を行うことを通じて、日本社会に蔓延《はびこ》る犯罪者の家族に対する根強い偏見、そして在日三世である城戸自身が日々感じている人種差別の問題を再認識する。「城戸はとにかく、カテゴリーに人間を回収する発想が嫌いで、〔彼自身の＝引用者注〕在日という出自が面倒なのも、それに尽きていた。当たり前の話だが、在日の中にも、善人もいれば悪人もいて、またその善人の中にも嫌なところがあり、悪人の中にも、恐らくは彼の知らない善いところがあるのだった」（『ある男』[11]）。本来、多面的であるはずの人間を一つの分類に回収することの愚かさを、城戸は差別の対象となる当事者として感じている。

城戸が、そもそも、この調査に乗り出したのは、以前離婚訴訟で担当した里枝《りえ》という女性から、再婚して夫となった人物——伊香保温泉の旅館の次男「谷口大祐《だいすけ》」と称していた男——が仕事中の事故で亡くなった一年後、里枝の手紙で飛んできた谷口の兄によって、まったくの別人であることを告げられたため、「夫」が本当は誰なのかを突き止めてほしいと依頼されたからだ。里枝は実家の文房具屋で働きながら、林業に従事していたこの〝X〟と結婚し、ささやかながらも幸せな生活を送っていたが、それも四年も経たないうちに彼が伐採の作業中に亡くなってしまう。すなわち、このタイトルが示唆する「ある男」というのは、「ビラヴド」同様、無名のまま死にいたった人物である。

城戸が探り当てることができたのは、まず〝X〟は犯罪者の息子というレッテルによって激しい苦悶《くもん》を抱えていたことである。〝X〟の父親が陰惨な殺人事件の犯人であったことで長い間苦しめられていたこと、その環境から逃げ出すためにボクシングを始めたこと、しかしプロボクサーとして名声を勝ちえようというとき、父親の犯罪歴が露見することに怯え、別の誰かと戸籍を交換することに踏み切ったこと、そういった過去が少しずつ掘り起こされていった。〝X〟は社会の表舞台から自分を消し去り、ひっそりと里枝との結婚生活を始めてようやくレッテルとは無縁の愛を見つけたのだった。そして、〝X〟は里枝だけでなく、里枝と前夫との間に生まれた息子の悠人《ゆうと》や〝X〟との間に生まれた娘の花をいつくしみ、その愛を育てていく。大きな決断ではあったが、彼にとって「自己」というアイデンティティと決別することは、「自己の所有」という捉え方から解放されることでもあった。

〝X〟は確かに「自己」のアイデンティティを捨て去りはしたが、自分にとっての愛すべき他者と出会うことができた。これは、まさに鷲田のいう「他者の存在との関係のなかでまるで贈り物のように届けられる、あるいは与えられるもの」である。人間を「外から見る」のではなく「内的人間」をホーリスティックに見る（西田）、あるいは「同類の人間を見る」（木村）という実践が、この作品には貫かれている。城戸は日本に帰化した後も、「在日」というレッテルに動揺し続け、テレビを見ていても、誰かと話していても、心安まることがなく、〝X〟同様、社会のレッテル貼りに心理的に追い詰められる人物である。そんな彼が、「他人の人生を通じて、間接的になら、自分の人生に触れられるんだ」と、自分の気持ちをなかなか理解してくれない妻に訴えている（同、二七二頁）。「直接は無理なんだよ。体が拒否してしまう。だから、小説でも読んでるみたいだって言ったんだ。みんな、自分の苦悩をただ自分だけでは処理できないだろう？　誰か、心情を仮託する

他人を求めてる」(同前)
城戸自身もまた近代的な自己を抱え込んでいるせいで、妻の香織とは心からの言葉の交流ができていない。そんな状況で離婚の危機を迎え、ようやく対話を始めようとするのだ。その対話のきっかけとなったのが、彼があることに気づいたからだった。「城戸はまるで、他人を見ているかのように、香織をつくづくきれいだなと感じた」(同、二六八頁)。「外から」妻を見てしまっている彼は、内的人間に触れることができなくなっていた。それに対して、調査の過程で城戸が出会い、心を通わす美涼《みすず》という女性(本当の谷口大祐の元恋人)は、「自己の所有」に縛られない思想をそなえている。彼女には「通念に染まらぬ一種の頑《かたく》なさと、それが故の自由な、幾らか諦観の苦みのある彼女のものの考え方」があり、城戸は「この一年ほどの間、ずっと影響を受けてきたのだということを改めて意識した」(同、三〇〇頁)。たとえば、城戸が〝X〟の調査を続けるなかで、愛をめぐる問いが浮上するのだが、城戸が「僕たちは誰かを好きになる時、その人の何を愛してるんですかね?(中略)で、その過去が赤の他人のものだとわかったとして、二人の間の愛は?」と美涼に向けてまっすぐ尋ねると、彼女は次のように答えている。「わかったってところから、また愛し直すんじゃないですか?　一回、愛したら終わりじゃなくて、長い時間の間に、何度も愛し直すでしょう?　色んなことが起きるから」(同前)
城戸は美涼との間に愛が芽生えかけているのに気づいている。彼女は、在日の当事者としてヘイトスピーチのカウンター・デモに行くべきかどうかという城戸の揺れる思いを感じ取って、「じゃあ、城戸さんの代わりにわたしが行ってきます」（同、一五〇頁）と伝える。その後、たまたまテレビで彼女がデモに参加している姿を見つけると、彼は「自分と交わした約束を密かに実行に移していたことを知って驚」き、「嬉しさとも苦しさともつかない、複雑な思いを抱いた」（同、二六三頁）。そして、差別を受ける当事者ではない彼女がデモに参加するのは「決して簡単なことではないはずだった」とその姿勢を認めてもいる（同前）。美涼と展覧会に出かけたとき、城戸は自分の心の裡《うち》を彼女にそっと打ち明けている。美涼への信頼は、「今こうして、彼女と過ごしている時間こそ、どれほど重要かしれないと、勢い口にしそうにな」るほどであった（同、一四五頁）。

美涼のこのような水平のまなざしは、第一章でふれたヴァージニア・ウルフの横臥《おうが》者のまなざしを想起させる。ウルフは、「病気になるということ」というエッセイで、心身ともに健康な人が上から目線で弱者をまなざす態度を「直立人」（upright）のものとして糾弾した。モリスンの言葉でいうと「権利を有する人たち」の典型的な態度ということもできるだろう。ウルフは横に臥すもの、すなわち「横臥する者たち」（recumbent）、あるいは「疎外された人々」にこそ豊かな想像世界が広がっていると考えていた。病気になったり、脆弱になったりすると、景色が違って見えるという意味でもある。

> 病気になると、こうした見せかけ〔健康なときには親切そうに見せかけないといけないし、努力を続けなくてはならない＝引用者注〕はおしまい。ただちにベッドに横になるか、椅子にいくつも枕

を置いて深々と座り、もう一つの椅子に両脚を載せて地面から一インチばかり引き上げる。そして**私たちは直立人たちからなる軍隊のしがない一兵卒であることをやめ、脱走兵になる。**直立人たちは戦闘へと進軍していくけれど、私たちは棒切れと一緒に川に浮かんだり、芝生の上で落ち葉と戯れたりする。責任を免れ利害も離れ、おそらくは数年ぶりで周囲を見わたし、見上げる——たとえば空を。（「病気になるということ」[12]ゴチックは引用者）

ウルフは「直立人」を戦闘に向かう「一兵卒」という比喩を用いて表現しているが、主戦場での責任や利害——それが文字通り、戦場であろうと、職場や家庭であろうと——からときおり逃れ、想像力を解き放つことの重要性を強調する。直立人は垂直《ヴァーティカル》に立って高みからまなざすが、横臥者は「棒切れと一緒に川に浮かんだり」、水平《ホリゾンタル》のまなざしを向けることが決定的な差異である。後者は、傷つけられやすい立場にある他者、あるいは小さくさせられている人間のみならず、その人たちの苦しみに寄り添うことのできる人間の視点をも立ち上がらせる。

このような〝視点〟に注目してみるというウルフの発想は、『ある男』のきわめて重要な場面に仕掛けられた〝視点〟の移行によく似ている。城戸と美涼が展覧会で《三歳の記憶》というインスタレーションを見つけるのだが、おそらく読者にとってももっとも印象深い場面のひとつである。このインスタレーションは箱型の大きな作品で、「中に入ると、作者が三歳の時の自宅の居間が忠実に再現されてい」る（『ある男』、一四〇頁）。その意図は、来場者に「三歳の自分に見えていた世界を、『そのまま』身体的に追体験」させることであった。「キッチンの調味料やホットケーキの粉など、何もかもが大きく、見上げるような手の届かない場所にあり、包丁は脇差しのような刃渡りだった」（同、一四一頁）。一般の健康な大人であれば、気づけない視点――すなわち「小さくなってしま」ったところ――から世界がどう見えているかを体験させるインスタレーションなのである（同前）。

この小説を読んでいてもよほど意識しないと気づけないことだが、小さい三歳児側に立って世界を眺めることと、差別される側に立って考えることはここではパラレルに描かれている。というのも、在日三世の城戸に寄り添おうとする美涼が、インスタレーションでも同じ視点から「必死でそのダイニング・チェアによじ登って、テーブル越しに向かい合」い、「架空の幼馴染みとして、一緒におやつでも食べたい気分」を共有しているからだ（同前）。城戸の水平のまなざしも徹底している。彼は自分の苦しみを仮託した〝X〟が里枝や彼女の息子の悠人や花をいつくしみ、愛情深いまなざしを向けていたことに助けられている。そして、そのまなざしを自分の息子である颯太《そうた》にも向けようとしている。この物語のプロットを推進させるのが横臥する死者〝X〟の記憶であるのも、このインスタレーションの仕掛けと地続きなのだろう。

死者を慮る視点というのは、平野文学の原点にあるといっても過言ではない。城戸のまなざしが死者である〝X〟――のちに原誠という名前であったことが判明する――に向けられるとき、彼は依頼内容の範疇《はんちゅう》をはるかに超えて、原誠の生の足跡をたどり、彼の代わりにその記憶を回復したいという衝動に駆られているのだ。無名の死者の記憶を取り戻すプロセスは、『空白を満たしなさい』でも主たるテーマとなっていた。この小説が刊行された前年の二〇一一年は平野が赤ん坊の頃に急死した父親の享年に達する年でもあった。

私の父は、三十六歳の時に急死している。私はその時、一歳だったから、父のことは何も覚えていない。物心ついた時から、父がいないのは当たり前だったので、それを特に悲しいと思ったことはなかった。ただ、そんなふうに、人間はある日、突然死ぬんだと思うと、ひどく不安になった。それが、私の実存感覚の根本である。(「現代を『幸福に生き、死ぬ』ということ」13)

平野は「父が生きていたら、自分に果たして、どんなことを言っただろうか」という私的な動機と、東日本大震災で「二万人近くの人が亡くなったという問題」に際して、この物語の芽が生まれたという(同前)。

『ある男』とは異なり、『空白を満たしなさい』は死んでしまった本人が、自分自身の「生」の足跡をたどる物語である。死者が生き返って「復生者」として家族や友人とともに――少なくともしばらくは――生き直すのである。三年前に死んだはずの主人公土屋徹生は、全国で次々と生き返り始めた「復生者」の一人となり、自分の死の真相を探り始める。そうすると、彼の失われた過去の空白のなかから少しずつ記憶が蘇ってくる。この小説でもっとも印象深いのは、土屋が独りで千光湖の畔《ほとり》にある自分の墓を訪ねる場面である（『空白を満たしなさい』[14]）。

彼はへたり込むように、今いる芝生の上に寝転がった。気持ちのいい場所だったが、そんなことをしているのは彼だけである。（中略）瑞々《みずみず》しい芝生の茂りと、太陽の熱を帯びた硬い土があった。この感触と一つになる。この瞬間にも、土の中では、バクテリアが活発に活動している。芝生の根は伸び、ミミズや幼虫は穴を掘っている。──彼は、恐怖を感じた。それと同時に、何かしら痛切な、慰めに似たものを感じた。（同、二二六〜二二七頁）

硬い土に横たわるという横臥者的な発想は、おそらく毎日忙しくしている直立人には縁遠いものだ。インスタレーションで表現した『ある男』の小さき者の視点は、この小説では自分の墓を訪ねる場面で顕在化する。ビール缶の製造会社で同僚と競い合いながら新商品を開発していた頃の「直立人」であった土屋はこうして「復生者」となり、初めて水平のまなざしを獲得している。直立人であった頃の土屋は弱音を周りの人たちに吐くということができなかった。それによって苦しんだ挙句の人生の結末であったのだ。復生した土屋は、妻の千佳、息子の璃久、すなわち愛すべき人と自分の分人との精神的な繋がりを通じて、ようやく安らぎを得るのである。

分人主義とは、職場や友人たち、家庭でそれぞれの人間関係があり、背景の異なるさまざまな人に触れながら、幾つもの「分人」を生きているという考え方である。

平野が自らの創作にも取り入れているこの分人主義は、人間の本質は分割できない個人／自己（individual）なのではなく、他者との関係性のなかに見出される分割された分人（dividual）にあるという考え方だが、これは鷲田やテイラーが想定した〈多孔的な自己〉像とも結びつくだろう。平野は、「年齢とともに、人間は死者との分人を否応なく抱え込んでゆくことになる」と語っている。また、「魂を通じて、あの世の知人と交信し続けるというのは、実は、**時々その死者との分人を生きてみる**ことなのかもしれない」（強調は原文）という平野の指摘（『私とは何か』[15]）は、モリスンがいうところの「想像することのできる恩寵」とも響き合うのではないだろうか。『ビラヴド』の主人公が逃亡奴隷の物語を娘に伝える語り部となったように、『空白を満たしなさい』の土屋もまた自分の死の真相を息子の璃久に聞かせる語り部となっている。

4　ひきさかれた魂——石牟礼道子『苦海浄土』

モリスンは、生前『ビラヴド』の訳者である吉田廸子に、黒人たちの哀しみと汚辱の過去を「語らなければならない」が、他方では「忘れてしまいたい」という矛盾する二つの思いがあると伝えたのだという。「ビラヴドの記憶と同時にあの言語を絶する中間航路の記憶を抹消してしまいたいと願う黒人の心理を表現する一方で、この耐えがたい物語をあなた（読者）だけには聞いてもらいたいという、作者の気持ちをこめている」。吉田によれば、これはまさに「アメリカ黒人史の内奥から民族の魂を喚《よ》び出す」語り部モリスンの言葉なのである（「訳者あとがき」、五五七〜五五八頁）。

日本にも、疎外された人々の闘争史の内奥から魂を呼び出した語り部がいる。九州の辺境である天草に生を受け、三歳のときに水俣町（現水俣市）に転居した石牟礼道子（1927-2018）である。モリスンが、近代文明が生み出した利益優先主義によって、いかに黒人奴隷の人々の生活が壊されたかを描いたのだとすれば、石牟礼は近代資本主義社会において、いかに人と人との繋がりがバラバラに解体され、その人びとの魂が「悲惨な現象の底でひきさかれている」かを描いた（渡辺京二「石牟礼道子の世界」[16]）。『苦海浄土――わが水俣病』の語り手は、他者を自分と「同類の人間」として見ることの難しさを繰り返し伝えている。たとえば、水俣病患者の一人である釜鶴松について「彼は自分をのぞいた一切の健康世界に対して、怒るとともに嫌悪さえ感じていたにちがいなかった」（『苦海浄土』[17]）と語り、彼のまなざしに突き動かされて、次のような生者たちの欺瞞《ぎまん》を牽制するような言葉が語られる。「安らかにねむって下さい、などという言葉は、しばしば、生者たちの欺瞞のために使われる」（同、一四七頁）。このように『苦海浄土』の語り手には、水俣病患者との間に序列的な関係性が生じないよう、慎重に言葉を選ぶという実直さがある。しかし、だからといって、作者の石牟礼自身が水俣病患者たちから聞き書をしたということではない。

評論家の渡辺京二によれば、悶《もだ》え苦しんで死んでいく人間の苦悩を石牟礼が「忠実な聞き書などによらずとも、自分の想像力の射程内にとらえることができ」ていたのは、彼女自身が幼少期から近代社会の「分裂と崩壊」を体験していたからである（「石牟礼道子の世界」、三八〇頁）。彼女が水俣病患者の魂の言葉を語ろうとした背景には、彼女の幼少時代の記憶がある。それは、無残にも虐げられた人たちにまつわる記憶であった。そして彼女自身の魂もまた、ひきさかれていたのだ。「一人の人間の魂がぜったいに相手の魂と出会うことはないようにつくられているこの世、言葉という言葉が自分の何ものをも表現せず、相手に何ものも伝えずに消えて行くこの世、自分がどこかでそれと剥離してい」る、そういう世界に生きているからである（同前）。

鷲田は近代社会における所有の問題がより先鋭的なかたちで現れ出ている例として、セックスワーカー（「売春行為」に従事する人）も挙げていたが、石牟礼は子どもの頃に女郎屋の若い女性にかわいがられていた。『評伝　石牟礼道子』の著者、米本浩二によると、その女性が、中学生に刺殺されるという陰惨な事件があったのだが、石牟礼はその死を他人事として忘却することができなかった。母に叱られたりすると、石牟礼は家出の準備をして「いんばいになりにいく」と口走っていたという[18]。「末広」という女郎屋の女たちは、家庭が貧しいがゆえに売られてきた。しかし、「やっとたどりついた場所で懸命に生きて見せても、汚いものを見るかのようにさげすまれ」てしまう（同、三三頁）。米本によれば、虐げられる女性たちへの石牟礼の共感は、「侮蔑の対象に自らなろう」（同前）という、すなわち「相手の身になる」彼女の一貫した態度そのものである。まさに横臥者の視点である。

もう一人、石牟礼が寄り添っていた人物がいる。祖母のモカ（おもかさま）である。彼女は精神を病んでいたが、幼い石牟礼と過ごしていた。祖母の狂気の一因には、祖父の松太郎に隠し妻と二人の隠し子がいたことがあった。祖父の酷い仕打ちに対してモカがつぶやき、石牟礼がそれを書き留める。「ばばしゃまの目の盲（原文ママ）はなして開かんと／つぶれてしまえば見んでもよかち想うたが……あやっどんが来た　あやっどんが来た　ええい　失せろ　失せろ」（同、三三頁）。こうしてモカが全身を震わせて叫ぶと、「祖父が彼女を縁側から蹴り落と」した（同前）。「《狂えばかの祖母のごとくに縁先よりけり落とさるるならんかわれも》（愛情論初稿）」（同、三四頁）と綴った石牟礼は、ここでもやはり傷つけられる人間の側に立っている。

近代文明の象徴ともいえる日窒水俣工場が、人と自然が溶け合った漁師の村落の暮らしを破壊したことは、石牟礼の記憶に深く刻まれた[19]。工場から排出される有機水銀に侵される前の南九州の不知火海岸では、漁師たちや彼らの家族が自然と共生していた。しかし、水俣病によって、多くの人々が言語障害、聴覚障害、四肢硬直、痙攣《けいれん》といったさまざまな症状に見舞われ、それまでの生活が突如として奪われてしまう。石牟礼が講演の際にも披露した日窒水俣工場歌は、幼少期の記憶と切り離せず、彼女の「魂の奥深く居座って動かな」かった（同、二九頁）。人の生命よりも利益を追求した大企業の工場廃液によって、地獄を生きなければならなくなった水俣の人々の苦悩が石牟礼の『苦海浄土』に渾身の言葉で表現されている。

当時はまだ正体不明の「奇病」としか見なされていなかった水俣病患者たちは番号で呼ばれていた。第一章「椿の海」の第三節は、もう亡くなってしまった「四十四号患者」について記述している。しかし、ひとたびこの人物の名前、山中さつきが紹介されると、たちまち彼女の生命力溢れるさまが回想される。そんな快活なさつきも水俣病に倒れ、「人間じゃなかごたる死に方」をしている。

いちばん丈夫とおもうとったさつきがやられました。白浜の避病院に入れられて。あそこに入れられればすぐ先に火葬場はあるし。（中略）上で、寝台の上にさつきがおります。ギリギリ舞うとですばい。寝台の上で。手と足で天ばつかんで。背中で舞いますと。これが自分が産んだ娘じゃろかと思うようになりました。犬か猫の死にぎわのごたった。ふくいく肥えた娘でしたて。（『苦海浄土』、四六〜四七頁）

このように、さつきの母親は語る。石牟礼の想像力は、番号や匿名性によって見えなくされたものを見えるようにし、近代社会の所有論的まなざしによって失われてしまった価値を語りの力によって回復しようとする。さつきは「力は強し、腰は強し。あれがカシ網ひくときゃ、舟はゆらっともしよりまっせんじゃった。（中略）あれは踊りの好きな娘で、豆絞りの手拭いば肩にかけて、腰はすわっとったが身の軽うしてな」（同、四四頁）。

ベッドからころげ落ちて床の上で仰向けになっている釜鶴松を前に、石牟礼を彷彿《ほうふつ》とさせる語り手もまた、「水俣川の下流のほとりに住みついているただの貧しい一主婦」であること、そして「この国の女性年齢に従い」、彼女自身も「七、八十年の生涯を終わることができるであろうと考えていた」（同、一四七頁）と、直立人的な姿勢であったことを気持ちよいほど率直に語り、反省している。「水俣湾内にこの時期もなお流し続けている新日窒水俣工場が彼の前に名乗り出ぬかぎり、病室の前を横ぎる健康者、第三者、つまり彼以外の、人間のはしくれに連《つら》なるもの、つまりわたくしも」、釜鶴松が「告発をこめた（中略）まなざしの前に立たねばならない」（同、一四六〜一四七頁）。横臥者に寄り添う語り手のまなざしは死にゆく釜のまなざしをとらえている。「まさに魂魄《こんぱく》この世にとどまり、決して安らかになど往生しきれぬまなざしであった」（同、一四七頁）。石牟礼は、本書の序章で述べた小松理虔のいう「共事者」という立場で、水俣の問題に関わり続けたのだ。

三十七号患者として紹介されるのは坂上ゆきである（同、一四〇頁）。彼女の話し方は「あの、長くひっぱるような、途切れ途切れな幼児のあまえ口のような特有なしゃべり方である」。彼女は「もとらぬ（もつれる）口で、自分は生来、このような不自由な見苦しい言語でしゃべっていたのではなかったが、水俣病のために、こんなに言葉が誰とでも通じにくくなったのは非常に残念である、と恥じ入った」（同、一四九頁）。

——うちは、こげん体になってしもうてから、いっそうじいちゃん（夫のこと）がもぞか（いとしい）とばい。見舞にいただくもんなみんな、じいちゃんにやると。（中略）じいちゃんに世話になるもね。うちゃ、今のじいちゃんの後入れに嫁に来たとばい、天草から。

嫁に来て三年もたたんうちに、こげん奇病になってしもた。残念か。うちはひとりじゃ前も合わせきらん。手も体も、いつもこげんふるいよるでっしょが。自分の頭がいいつけんとに、ひとりでふるうとじゃもん。（同、一五〇頁）

石牟礼の紡ぎ出す言葉には、水俣病患者へのいつくしみがある。モリスンが擁護した想像力のいつくしみである。漁師である夫の茂平がかつてゆきが新しい舟に乗って舵《かじ》をとったりしたことを思い出している。「彼女は海に対する自在な本能のように、魚の寄る瀬をよくこころえていた」（同、一五三頁）。「ほーい、ほい、きょうもまた来たぞい」と魚を呼ぶゆきの「いいぶり」には「ほがらかな情がこもっていた」（同前）。

このように、語り部としての石牟礼は、想像力によって、失われてしまった水俣病患者の健やかな記憶を、すなわち人間がまだ自然と共生していた頃の記憶を回復していく。他方で、ゆきのように、あるいはさつきのように漁に出られなくなった水俣病患者たちの家には、もはや活気がなくなってしまったさまも余すことなく語っている。一九五六年九月二日に水俣病で死亡した山中さつきには十六歳の九平という弟がいた。彼も水俣病を発病しているが、「専用バスに乗って検診にゆくことをガンとして拒んでいる」（同、二五頁）。山中家では、

もはや、魚を獲って暮らす生活の中身は、何ひとつ見あたらず、かし網や、魚籠《びく》や、柄のついた手網《たも》などを吊るしたり、干しならべていた前庭はただだだっぴろく、柿の古木が、ほうほう

と丈高い幹の間に風を通し、唐黍《とうきび》の微かな葉鳴りを、その枝の下に抱いていた。（同、二六頁）

九平が着ている「綿の厚く入れられたかたいチャンチャンコ」は、かつては海上で父が着て、姉も着ていたものだ。「二人の働き手が死んでしまった今、少年の母は彼女のすったれ——末っ子——に着せているのだった」[20]（同前）

石牟礼のこのような哀歌は、無名の死者たちを悼むグレイの『墓畔の哀歌』の物悲しさと共鳴する。

いさましい囲炉裏《いろり》の火も、もう燃えない。
忙がしい主婦の夕食の仕度《したく》もない。
子供らが父の帰りを告げて走り、
膝に匍《は》い上がって口づけを競《きそ》うこともないのだ。（『墓畔の哀歌』、九七頁）

グレイの死者をいつくしむ言葉は、石牟礼自身の、他者の「生」に思いを馳せることで、満ち溢れてくる言葉と共鳴し合う。この作品で描かれる崩壊以前の世界が語られるとき、たとえば、ゆきが漁に出るときの情景を思い描くとき、それはあまりに美しく、感傷的でさえある。しかしそれでもなお、この不知火海の世界が言葉でいつくしまれることを読者が言祝《ことほ》いできたのは、『苦海浄土』

が石牟礼の渾身の哀歌だからではないだろうか。

5　近代人の死への恐怖——ドリス・レッシング『よき隣人の日記』

石牟礼のように、他者の「死」を人間の死として受け止め、言葉を綴った作家の一人に大江健三郎がいる。彼は戦後の広島で出会った被爆者たちの「深甚な暗さをひそめている恐しい眼をすえて凝然と立ちすくむ」様子を眺め、次のエフトシェンコの詩の一節を引用している（『ヒロシマ・ノート』[21]）。

彼女の動かぬひとみは　無表情だったが、
しかし、そこにはなにか悲しみ、
　　　　　　　　　　　　苦しみが
名づけようない、
　　　　　ひどく恐しいものがあった。（草鹿外吉訳）

歴史をさかのぼっても、人間がまるでモノのように扱われ、あるいは命を奪われ、人間としての尊厳が踏みにじられる事象が数多くある。

とりわけ大江の印象に残っているのは、一九六三年の夏、広島で出会った「原爆病院の患者たちのうち平和運動や核停条約の動向に積極的な関心をよせつづけていた、いわば最後の人」（同、五〇～五一頁）、宮本定男という被爆患者である。そして彼が遺した文章をそのまま書き綴っている。「私は広島から訴えます、人類初の原爆をうけた広島の街で今もなお、当時の白血病、貧血、肝臓障害などで、日夜苦しみ、悲惨な死え《ママ》の闘いをつづけている人々が多勢おります」（同、五一頁）。大江はこの後で、「僕らこの文章の読者は、悲惨な死に対して、あるいは悲惨な死にさからって、新しい生命にいたる闘い、というのではなく、**悲惨な死への闘い、悲惨な死にいたる闘い**」として受け止めなければならないと書いている（同前、ゴチックは引用者）。

死に関して大江が訴えることを理解するのは難しい。人には死を自分とは無縁なものとして遠ざける意識がある。すなわち「死」にさからうのではなく、「死」にいたる闘いとはどういったものか、想像しづらい。そういう意味で、イギリスのノーベル賞作家ドリス・レッシング（Doris Lessing, 1919–2013）の『よき隣人の日記』[22]（*The Diary of a Good Neighbour*, 1983）は、死にいたる闘いというものを具現しているように思う。あるいは、近代人が恐怖心から「死」というものを遠ざけようとする心理を主人公に投影させているともいえる。主人公は女性ファッション雑誌の副編集者として活躍する中年女性ジャンナ（ジェイン・ソマーズ）であるが、健康な人間がいかに横臥者や死にゆく者にケアを向けることが困難かも繊細に描いている。

ジャンナは、自分の両親、そして夫のフレディが死に直面するときでさえ、十分に介護し、看取ることはできなかった。しかし、ガンを患い死期を迎えている高齢者モーディー・ファウラーと出会い、掃除、買い物、排泄の世話、話し相手などケア全般を自ら進んで請け負い、多くの時間をともに過ごすことで、モーディーとともに病の先にある死というものに近づいていく。[23] モーディーのような横臥者について世間が見せる姿勢は、「**彼らを見えないところへやってしまえ**」というものだ（『よき隣人の日記』[24] 太ミンは原文）。ところが、ジャンナは、モーディーとの日々の対話を通じて、西田幾多郎がいうところの「内的人間」を発見していく。

また、夫のフレディが腰痛になったときジャンナは自分では看護せず、人に頼んだのだった。しかしとうとう自分が身をもって腰痛の痛みを経験するとき、自分がいかにケアを顧みなかったかをも認識するようになる。

> 私は、はしかのような子供の病気以来、病気したことがない。**本当に悪くなったことは一度もない**。せいぜいのところ風邪か、のどの痛みで、まったく意に介さなかった。認めざるを得ない事実は、私には友だちがないということだ。電話をかけて、お願い、助けて、助けが要るのよ、と言える人がひとりもいないのだ。（同、一九六頁。太ミンは原文）

そんな典型的な直立人でかつ〈自律的な個〉を体現するジャンナがこの腰痛の経験やモーディーとの交流を通じて、少しずつ横臥者の視点を獲得していく。

それでは、ジャンナの近代的な自己からの脱皮は、どのように行われたのだろうか。ジャンナがモーディーのために呼んだ電気屋の男が「あんな老人が何の役に立つんですか？」という言葉を投げかけている（同、三五頁）。彼女はこの男が言ったことを振り返る。

彼が言ったことは、世の中の人がいつも言うことだ。「**なぜ彼らをホームに入れないんだ？ 彼らを見えないところへやってしまえ、若くて健康な人びとから見えないところ、気にかけなくてもすむところへ！**」

彼らはこう考えている――私も実際そうだった――あの人たちがまだ生き長らえていることに何の意味があるのか？（同、三六頁。太ミンは原文）

これこそが、西田のいうところの「外から人間を見た外的人間の人間学」に基づいた所見である。ところが、モーディーが単なる「老人」ではないことが、少しずつ明らかになる。そして、それは自身の生き生きとした、そしてときに毒々しい語りによって伝えられる。死期が迫っている横臥者の語りには、かえって若かりし日の生が息づいている。

モーディーは帽子屋の仕事をしていたが、それが切れてしまったこと、そしてその直後、運よくブライトンの海岸のホテルでメイドの仕事にありつけたこと、雇い主のミセス・プリヴェットが「昼食、全部お客様と同じすばらしいディナー」や「たくさんのお盆にパンやバターやケーキやなんか」を与えてくれたことを幸福感いっぱいに伝えている。ホテルで仕事をしている間は「幸せで肥った」り（同、四八頁）、その後、のちにローリーと所帯を持ち、ジョニーと名づけられる子どもを授かったりした。ところが、子どもが生まれたときから、ローリーがモーディーに「やさしい言葉をかけなくな」り（同、一四一頁）、人生が少しずつ影を帯び始める。ローリーの生活費も当てにならなかったため、彼女はジョニーをベビーシッターに預けて仕事を続けた。どれほどの逆境に際しても、モーディーの溌剌《はつらつ》とした語りは力を失わない。

どれくらいでやっていけるか、きっと驚くわよ。ジョニーとあたし、あたしたちはパンを食べ、あの子はミルクを少し飲んで、それで秋まで生きたら、ロロフスキーから手紙が来たの。あたしを雇ってもいいけど、前より給料は安いって。きびしい時代だったから。彼らのくれる半分でもあたしは働いたでしょうよ。（同、一四九～一五〇頁）

最終的にはジョニーがローリーに連れて行かれてしまうのだが（同、一五〇頁）、そんな悲しい出来事があった直後も、モーディーは帽子作りが「大好き」だからと、「呆《あき》れかえるほどひどい作り」の帽子がウィンドーに並んでいるのを見て、無償で教えてあげたりしている（同、一五一頁）。このように、ジャンナに伝えられるモーディーの内面世界は生命力に満ち溢れていて、その生き様に魅了されたジャンナは、あるいは読者もまた彼女のことを「老人」と一括りにすることはできない。

社会的なカテゴリーはある意味で無効化されてしまう。

そうはいっても、死にゆくモーディーの内面世界とはやはり隔たりもいくらかは感じる。しばらく自宅で介護を受けていたが、病状が悪化したため病院でケアされるようになったモーディーは、「不公平」だの、「悲劇」だのと言い始める（同、三二九〜三三〇頁）。そんなモーディーにジャンナは「あなたは九二歳よ」と伝えるのだが、「彼女の青い目は燃え上がっていた。**憤怒**」（同、三三一頁。太字は原文）。

モーディーは死を望まずにそこに座っている。私にはどうしても理解できない。問題はそこだ。

自分とモーディーを比較するとき、他人の立場に身をおくことは不可能だと思えることがある。肉体的にまだ死に近くない五〇歳の女性の精神状態と、九〇歳を越して死に近づいている女性のそれとを比較しようとするとき。人の気分は死が近づくと変わるのだろうか？（同、三五一頁）

ジャンナ自身の気分と「自分が死ぬべきもの」という認識との間には「越えられない壁」があるが（同前）、彼女自身は大きな変化を感じている。しかし、彼女は最終的に「ひどく恐れていた」老年や死を直視するようになる（同、三五六頁）。「死ぬのは**どうして**こんなに難しいのだろう？

そんなことを思うのは不法だろうか？　それとも役にたつだろうか？」（同、三五〇頁。太字は原文）。彼女はこのような素朴な疑問を反芻《はんすう》することを自分に許している。

もちろん介護というケアを提供しているのはジャンナだが、死にゆく横臥者の語りというケアを実践しているのはモーディーなのである。老年や死に関わることを怖がり忌避し、老人たちを見ないようにしていた直立人のジャンナがこうして、何時間も病棟に座って、見守っているその忍耐力に、読者は驚嘆せざるを得ない。人間はすぐには死にいたらない。病などの過程において、苦しみ続けることになる。『よき隣人の日記』は、モーディーの死にいたる闘いというものを、ジャンナの語りを介して、読者に追体験させている。あるいは、「死」というものを遠ざけようとする近代人を、恐怖に対峙させているともいえる。

文学作品を読むとき、私たちはけっしてその作品だけを読むわけではない。その読書体験に促されて、かつて読んだ本はもちろん、それにまつわるさまざまな文化的、歴史的コンテクストをはじめ、無意識のうちに呼び起こされる他者の記憶やイメージの断片をも想像しながら読むのである。この章で取り上げたウルフ、モリスン、平野、石牟礼、レッシングらによる文学作品はそういったケアの文学空間を提供してくれているともいえる。

ウルフが「病気になるということ」というエッセイで導入した「横臥者」と「直立人」の視点がなぜ重要なのか。それは、日頃「死」とはまるで縁遠い直立人が、横臥者の視点から語られる内面世界――喜び、悲しみ、苦しみ――が共有されるからである。ウルフ自身が頭痛、双極性障害、インフルエンザなどの病気に罹っていたが、病に苦しんでいた彼女だからこそ、このような言葉が読者のなかにもすっと入ってくる。[25] 横臥者の視点、自他の境界線を越えられる〈多孔的な自己〉というものは、一人の自己のありようにとらわれるのではなく、複数の他者の内面に去来する回想、空想、願望、改悛《かいしゅん》などが想像世界において共有され、広がっていく。それは平野啓一郎のいう「分人」を増やしていくというプロセスともいえるかもしれない。

死者とは究極の他者である。『ビラヴド』のタイトルは墓碑銘のフレーズから取られているが、それは、英語圏では一般的に用いられる「愛されし者」という意味である。モリスンのこの傑作は、尊厳を奪われたまま死んでしまった愛すべき他者たちが「生」を回復する手立てはあるかという問いを喚起し、生者が死者に対して与えうるケアとは何かについても考えさせる。『ビラヴド』をはじめ、平野の『ある男』、石牟礼の『苦海浄土』、レッシングの『よき隣人の日記』などの死者へのケアをテーマにした文学作品では、他者は「絶対的に知りえない固有の主体的内面を生きている」という近代的な自己の前提が崩されている。『ビラヴド』の主人公セサの亡くなった赤ん坊は幽霊として現れ、『空白を満たしなさい』の復生者は死の世界から蘇り、生前対話することがかなわなかった者たちが再会する機会を得ている。冷たい墓碑や硬い土に埋葬されている死者のかつては生命力に満ちていた身体と内面世界が、ほかでもない、豊かな言葉によって回復されている。そして、資本主義の利益優先主義によっていかに人々が疎外され、人と人の繋がりがバラバラにされてきたかにも気づかされるのだ。

奴隷として悲惨な死を遂げた人々、社会の偏見や人種差別に苦しみながらも誰かと心を交わそうとした人々、病になる以前には溌剌と生きていた人々、そして生活苦や病に苦しみながらもその記憶を誰かに残そうとする人々。いずれの物語も、健常者にとって、あるいは特権を持つ者にとって、自分ごととして考えることは困難であるかもしれない。しかし、これらの作品には――第一章から第五章まで通底するテーマでもあるが――存在していないかのように扱われてきた弱者たち、あるいは道具化されてきた「サイボーグ」的な人々、葛藤があるのにないものとされてきた女性たち、利益を追求する文明によって健康を損なわれ、死に追いやられた人々の「生」がいつくしまれ、語られている。本書では、さまざまな苦悩を経験する他者たちの健やかな記憶が「本の世界の命」として留められている例のごく一部を論じることはできたが、当然、すべてを網羅することなどできない。これからも世界の文学作品をケアで読み解く実践は続けていきたいと思う。

口をつぐむこと、弱くあることについて——あとがきにかえて

〈ケアの倫理〉とは何か。キャロル・ギリガンは『もうひとつの声で——心理学の理論とケアの倫理』において、「正しい」と思うことを「正しい」と声高に唱える〈正義の倫理〉の対抗原理として〈ケアの倫理〉を打ち立てた。私が初めてギリガンのこの議論に関心を持ったのは、大学の卒業論文で、日本の女性パートタイム労働者たちについて和歌山で質的・量的調査を行ったときだ。この調査を通じて数多くの女性の「声」を聴いたものの、自立して〈個〉の利益を追求することより、家族や子どものケアを引き受けることを選んだ女性たちのその「声」に当惑してしまった。女性に当然与えられて然るべき権利を声高に訴えることが「正しい」と考えていた当時の私にとって、なぜ他者をケアすることが人生でもっとも大事であると考える女性が多数派となるのかが腑に落ちなかった。

そんなとき、ある事件が起きた。私自身が留学中にセクハラの被害にあった。しかも、かなり悪質なセクハラに。そのことについて三十年近くも口をつぐんできてしまった。まだセクハラ被害にあう以前の私は、働く女性であれば、セクハラのひとつやふたつ経験していて当然で、それをうま

くやり過ごす器用さ、あるいは相手をとっちめるくらいの豪胆さを備えている必要があり、それでようやく社会で男性とも渡り合えるという思い込みがあった。しかし、じっさいセクハラ被害にあってみると、自分がどれほど傷つきやすく、脆弱《ぜいじゃく》な存在であるかを思い知らされた。社会的立場の弱い人間は、思っていることを自由に言葉にできないということもようやく理解したのだった。私が〈ケアの倫理〉に傾倒してきた背景には、そのときに受けた深い心の傷とそれを口にすることさえできない信じがたいほどの抑圧を理解したいと思ったことがある。

ケンブリッジに住むある日本人の紹介で、日本の某テレビ局のプロデューサーの通訳をするという仕事を請け負った。私が依頼された仕事は彼がロンドンに滞在している間、オーディションや撮影に付き添って通訳をするというもので、プロデューサーが宿泊するホテルまで付き添うも私の仕事の一環とされた。ロビーで見送るときに部屋に上がってくるよう執拗に誘われ、その度に、仕事を打ち切られないよう、動揺しつつも、丁重にお断りした。契約最終日の前日だったと思うが、その日は打ち合わせと称して、ホテルの部屋に入ることを義務付けられた。断れば、それまでの報酬が支払われないかもしれないという不安もあり、部屋には入ったのだが、すぐに後悔した。セクハラを受けたときの恐怖は今でも言葉でいい表すことができない。その部屋からどのようにして脱出したのかも思い出せない。それでも、心が凍りつくような、その記憶の断片は今でも時々フラッシュバックする。

フェミニストであった大学教授たちに教わった理論も、「自立せよ」「声を上げよ」という号令も、現実世界の最悪の状況下では何の役にも立たなかった。女性は不当な扱いに対して声を上げていかなければならない。それなのに、あの日、私は声をあげることができなかった。社会の末端にいる最弱の存在だったからだ。できたのはせいぜい仕事を紹介してくれた人に一部始終を伝え、助けを求めるくらいであったが、その懇願に対しても、ただ「早く忘れた方がいい」といわれただけだった。三十年の年月を経て、今、このことについて私は初めて公に告白している。

おそらく、二〇一七年に表沙汰になった映画プロデューサー、ハーヴェイ・ワインスタインによる性暴力・セクハラ疑惑が、#MeToo 運動が一躍世界的な注目を浴びる契機となり、社会が変わり始めたことが後押しになっている。グウィネス・パルトロウやアンジェリーナ・ジョリーをはじめ、多くの被害者たちが自分たちの経験を語り、加害者であるワインスタインを追及した。声を上げることで、長年耐え続けていた被害者の苦悩や痛みが浮かび上がったのだ。#MeToo 運動によって、性加害やハラスメントの不正義を表明することの大切さが改めて知らしめられた。こうして、正義を語ることのできる女性の勇敢さは称賛に値するだけでなく、それによって、性暴力やハラスメントの加害者が告発されうるなら、それは多くの女性たちを励まし、勇気づけるだろう。

ギリガンの〈ケアの倫理〉というものが——とくにフェミニストたちに——誤解され続けてきたのも、声を上げることが明らかに「正しい」のに、そうしない人たちがいること、あるいはそのことが疑問に付されないことが歯痒く感じられたからだろう。しかし、他方で、「正しい」と分かっていても声を上げることができず、抑圧され続ける人たちが存在することも事実である。現に、私も声を上げることができなかった。

立場や個々の経験によって、口をつぐんでしまうこともあるだろう。〈ケアの倫理〉は、そういう個々の選択を包摂しようとするものである。しかし、そういう倫理観が誤解され、消極性や自己犠牲を助長してしまう倫理であると批判されることもある。ギリガンはそういった誤解をとくために、一九九三年版には「読者への書簡」を収録し、そこでは、自分の権利を訴えるのではなく、口をつぐんでしまったり、他人の価値観や意見に耳を傾けたりする女性はいるが、実は彼女たちにも激しい葛藤があるのだと訴えた。そこには、喜んで自己犠牲になる「家庭の天使」像とは一線を画する、苦悩する女性たちの姿が浮かび上がる。

ギリガンは、自他境界があいまいであることで葛藤を抱え込んで沈黙してしまう当事者の内面世界を理解しようと呼びかけているのである。彼女は、他者の声に耳を傾けてしまう営為を必ずしも〝弱さ〟であるとは考えない。〈正義の倫理〉の提唱者たちは、他者の意見に影響される女性たちは未成熟であると考えたが、ギリガンは、そういう女性たちこそ、〈ケアの倫理〉を実践し、他者とともに生きる人生を思い描いていると肯定している。

今更ながら思い出されるが、私がセクハラ被害について口をつぐんでしまったのには複数の理由があった。深い傷つきのために、告発することでその事件を思い返したくなかったということもある。また、通訳の仕事を紹介してくれた画家はそのプロデューサーから仕事の依頼を受けて別の番組の制作に関わっていたこともあり、彼の仕事が打ち切られるのではと心配もした。そういう自分が、〝弱さ〟は〝強み〟になると書いたギリガンの〈ケアの倫理〉に救われたのはいうまでもない。

近代社会が想定する、自己が他者から分離した〈自律的な個〉を成長させていくことも、確かに重要ではある。しかし、いかなる他者であれ、社会で彼らとともに生きていくのであれば、加害者を断罪するだけでは解決しないこともある。国際社会のなかにあっては、軍事力だけで解決できない問題もあるだろう。こういうことを考えていくには、社会の構造のなかに埋め込まれている有害な〈男性性〉というもの、あるいは構造そのものを見つめ直す必要があるだろう。文学作品のなかにはその問題の根幹を語るものが数多くある。

ギリガンは、ジョージ・エリオットの『フロス河畔の水車場』の主人公マギーと兄トムがそれぞれ〈ケアの倫理〉と〈正義の倫理〉を体現すると説明している。トムは父親の宿敵であるウェイケム氏の息子で障害を持つフィリップとは付き合うべきでないと考えていたが、マギーはフィリップとの関係性を維持したいと願っている。このことで非難するトムに対して、マギーは抗議している。ギリガンによれば、このトムとマギーのやりとりは、「正義と慈悲の分裂を雄弁に表現している」（『もうひとつの声で』、一八七頁）。トムの正義を追求する〈男性性〉の立場からは、マギーが実践する〈女性性〉と結び付けられてきたケアや慈悲の精神は未発達であると考えられてしまうのだ。

これら二つの視点〔兄のトムとマギー＝引用者注〕を発達の階層で捉えれば、人は成熟するにしたがって、男性性の方が女性性より適正なものであると考えるようになり、女性性を男性性で

もって置き換えていくものであるとされてきた。（同、一八八頁）

トムは自分が「正しい」と思う立場から迷いなく正義を主張する。他方、マギーは何が「正しい」のかという判断を留保しつつ、それでも迷いながら最善の道を探ろうとする。この対照的な倫理は人間の本質を映し出すものであろう。

本書で繰り返し触れた〈多孔的な自己〉は、自分のなかにもある〝弱さ〟を認めつつ、相手の〝弱さ〟をも理解しようとする自己なのかもしれない。〈自律的な個〉として、相手の非を問い質すことも必要である。#MeToo運動がなければ、いつまで経っても社会は変わらなかったにちがいない。ただ、声を上げられる人だけが世界を構成しているわけではないという認識を共有することも必要ではないだろうか。そういう、何が正しいのかという判断が揺らぐことを承認すること——ネガティヴ・ケイパビリティを言祝《ことほ》ぐこと——をめざすために本書を書いた。

自分だけは「正しい」のだという過信によって、被害者であった人間が知らない間に加害性や暴力性を孕む言動をするということもあるだろう。たとえば、性暴力やセクハラ加害の男性が、何かしらのトラウマの犠牲者であるとするなら、加害者／被害者という二項対立そのものを再考しなければならないという議論も本書で触れた。それと同時に、セクハラの加害者たちや、ジェンダーの差別意識を持つ人たち個人を糾弾するだけでなく、どうすればケアの価値が毀損されない社会を実現することができるか問い直すことも必要であろう。

ヴァージニア・ウルフは、その問題について書いていた。「過去のスケッチ」というエッセイで、家父長制文化における男性たちの教育や社会制度について、彼女は「家長組織による刻印成型がなかったとしたら、彼らはどんな形になっただろう」と綴っている。ウルフは、「私たちの男の親戚は全部、機械の中にほうり込まれ、向こうの端から六〇歳かそこらで、校長、海軍大将、大臣、判事になって出てくる」という表現を用い、この機械を「家父長制の装置」（patriarchal machinery）と呼んだ。[1] 人々を戦争に駆り立てる政治家たちの所業を目の当たりにしたウルフだからこその視点である。

ウルフは、政治的、社会的権力を持つ男たちが教育、社会化を経て、いわば「機械の中にほうり込まれ」て「刻印成型」にはめられ、ときに人間らしさを損なってしまうことを問題にしているのだ。彼女の『ジェイコブの部屋』（*Jacob's Room*, 1922）はまさにそういう小説である。ジェイコブは、特権階級に属する者が受ける教育によって、かえって他者理解を含む人間的な経験から疎外されてしまう。ケアの価値、生命の尊さを教えられることのなかったジェイコブの物語は、最後に彼が戦死するという結末を迎える。一方で、彼の対極にある、すなわち、つねに周縁化されてきた女性たち――作品中ではサンドラ・ウィリアムズ、クララ・ダレント、娼婦のフロリンダら――の物語がある。ウルフ自身、異父兄弟から性被害に遭っていたが、彼女のような社会的弱者、セクシュアル・マイノリティ、あるいは〝弱さ〟を経験したことのある人々は、他者の苦しみを敏感に察知し、そのニーズに応答してきたということがあるのかもしれない。[2]

現在の日本政府は、昨年十二月、安保三文書を閣議決定した。二〇二三年からの五年間で、国の防衛費はこれまでの約一・五倍になる。長年〈ケアの倫理〉を日本に普及することに尽力してきた岡野八代は『日本は本当に戦争に備えるのですか?』という著書で、日本の「安全」は必ずしも軍事力だけで実現されるわけではないと指摘しつつ、現政権の安全保障政策がはたして「一人ひとりの具体的な『国民』の生命を守るものだろうか」という問いをつきつけている。[3] また、防衛力強化によって、「少子化・高齢化、若者・女性の貧困化など、その他の国家的危機への対応はなおざりにされている」という問題もある(同、六頁)。この「声」は、今の日本の政治こそ、生命を軽んじる有害な男性性が生み出したものであるという糾弾であり、ケアを要請する「声」であると私は受けとめている。

世界文学という言葉が本書のタイトルに入ってはいるが、あらゆる地域の文学作品を分析対象としているわけではない。残念ながら、私にはそれだけ網羅する力はないので、それについてはご寛《かん》恕《じょ》いただきたい。イギリス文学を専門とする私にとって、やはり英米圏の文学が中心とならざるをえないからだ。ただ、これまで私が触れてきた世界文学と呼べる作品には、〈ケアの倫理〉について考える契機になるものが数多くあり、それについて書いてみたいとずっと思っていた。

今回、それを実現に導いてくださった担当編集者の矢坂美紀子さんには、「小説トリッパー」掲載時から、こうして書籍化されるまで大変お世話になった。心からお礼を申し上げます。また、私をいつくしんで育ててくれただけでなく、ケアの価値を教えてくれた母親には感謝してもしきれません。母が難病患者になって六年間、ずっと共事者として伴走してきたことが、本書執筆の原動力となった。また、男性であってもケア精神を持ちうるということを教えてくれた父との記憶は、彼が他界して十数年経った今もなお、鮮やかによみがえる。死者と生者とのつながりが必ずしも、生者同士のつながりより希薄であるとはかぎらないということも亡き父が教えてくれている。最近、大学に入学した甥と同居を始めたばかりだが、彼と日々対話するなかで、ケアにも価値があることを知ってほしいと思うようになった。これからも多くの文学作品が読まれ、その営為が、〝生命を守る〟というケアの価値に繋がることを真に願っている。

二〇二三年六月

小川公代

注

今こそ〈ケアの倫理〉について考える——序論にかえて

1 ギャスケル夫人『シャーロット・ブロンテの生涯』和知誠之助訳（山口書店、一九八〇年）、三三一頁。

2 キャロル・ギリガン『もうひとつの声で——心理学の理論とケアの倫理』川本隆史、山辺恵理子、米典子訳（風行社、二〇二二年）、三九頁。

3 岡野八代『フェミニズムの政治学——ケアの倫理をグローバル社会へ』（みすず書房、二〇一二年）、一五八〜一五九頁。

4 河野多恵子「ブロンテ詣で」、河野多恵子、富岡多恵子『嵐ヶ丘ふたり旅』（文藝春秋、一九八六年）、八三頁。

5 河野真太郎『新しい声を聞くぼくたち』（講談社、二〇二二年）、五〇頁。

6 アーサーは、のちに自分が母親の恋人によって虐待されていたことや、虐待する恋人を母親が止めなかったことを知る。その夜にアーサーは母を殺害している。

7 平山亮『介護する息子たち——男性性の死角とケアのジェンダー分析』（勁草書房、二〇一七年）、二一頁。

8 小松理虔『新復興論 増補版』（ゲンロン叢書、二〇二一年）、四四二頁。

第一章　現代人が失いつつあるものとしての〈ケア〉——思想史

1　アントン・チェーホフ「ワーニャ伯父さん」、『ワーニャ伯父さん／三人姉妹』浦雅春訳（光文社古典新訳文庫、二〇〇九年）、一二七頁。
2　村上春樹「ドライブ・マイ・カー」、『女のいない男たち』（文藝春秋、二〇一四年）、二〇頁。
3　河合祥一郎「解説　裸の王様——不必要な衣装を脱ぎ捨てて」、ウィリアム・シェイクスピア『シェイクスピア全集5　リア王』松岡和子訳（ちくま文庫、一九九七年）、二五九頁。
4　アーサー・クラインマン『病いの語り——慢性の病いをめぐる臨床人類学』江口重幸、五木田紳、上野豪志訳（誠信書房、一九九六年）、一八四～一八五頁。
5　ウィリアム・シェイクスピア『シェイクスピア全集5　リア王』、二二三頁。
6　オスカー・ワイルド『オスカー・ワイルド書簡集　新編獄中記——悲哀の道化師の物語』宮崎かすみ編訳（中央公論新社、二〇二〇年）、一八〇～一八一頁。
7　オスカー・ワイルド「社会主義下の人間の魂」、『オスカー・ワイルド全集4』西村孝次訳（青土社、一九八九年）、三一六～三一七頁。
8　アントン・チェーホフ、一一一頁。
9　オスカー・ワイルド「幸福な王子」、『童話集　幸福な王子　他八篇』富士川義之訳（岩波文庫、二〇二〇年）、一三頁。
10　ジョアン・トロント著、岡野八代著・訳「ケアするのは誰か？——いかに民主主義を再編するか」、『ケアするのは誰か？——新しい民主主義のかたちへ』（白澤社、二〇二〇年）、三六頁。
11　斎藤幸平『人新世の「資本論」』（集英社新書、二〇二〇年）、三一五頁。
12　マルクス／エンゲルス『新編輯版　ドイツ・イデオロギー』廣松渉編訳、小林昌人補訳（岩波文庫、二〇〇二年)、六七頁。
13 Fredric Jameson, *The Political Unconscious: Narrative as a Socially Symbolic Act.* (Cornell University Press, 1981), p. 45.
14 Paul H. Fry, "Time to Retire? Coleridge and Wordsworth Go to Work", *The Wordsworth Circle*, Vol.41. 1 (Winter 2010), p. 24.
15 ジョナサン・ベイト『ロマン派のエコロジー――ワーズワスと環境保護の伝統』小田友弥、石幡直樹訳(松柏社、二〇〇〇年)、一六八頁。
16 マックス・ヴェーバー「宗教社会学論集　序言」、『新装版　宗教社会学論選』大塚久雄、生松敬三訳(みすず書房、二〇一九年)、九頁。
17 マックス・ヴェーバー「世界宗教の経済倫理　中間考察」、『新装版　宗教社会学論戦』前掲、一一二頁。
18 岡野八代『フェミニズムの政治学――ケアの倫理をグローバル社会へ』序章注3参照、一八五頁。
19 ウェンディ・ブラウン『いかにして民主主義は失われていくのか――新自由主義の見えざる攻撃』中井亜佐子訳(みすず書房、二〇一七年)、六二頁。
20 ミシェル・フーコー『ミシェル・フーコー講義集成8　生政治の誕生』慎改康之訳(筑摩書房、二〇〇八年)、一四四頁。
21 飯島裕子『ルポ　コロナ禍で追いつめられる女性たち――深まる孤立と貧困』(光文社新書、二〇二一年)、一五〜一八頁。
22 岡野八代、一六五頁。
23 ジョアン・トロント著、岡野八代著・訳『ケアするのは誰か?――新しい民主主義のかたちへ』、六六、二三三頁。

24 ウェンディ・ブラウン、一一六頁。
25 杉田俊介『マジョリティ男性にとってまっとうさとは何か――#MeTooに加われない男たち』（集英社新書、二〇二一年）、二〇〇頁。
26 ヴァージニア・ウルフ『自分ひとりの部屋』片山亜紀訳（平凡社、二〇一五年）、一六九頁。
27 Virginia Woolf, *A Room of One's Own*, in *A Room of One's Own, Three Guineas*, ed. Morag Shiach (Oxford : Oxford University Press, 1992),p.128.
28 John Keats, *The Letters of John Keats 1814–1821*, Vol. 1, 21, 27 December, 1817, ed. Hyder Edward Rollins (Cambridge: Cambridge University Press, 1958), p.193.

第二章　弱者の視点から見る――暴力と共生の物語

1 渡辺一史『こんな夜更けにバナナかよ――筋ジス・鹿野靖明とボランティアたち』（文春文庫、二〇一三年）、五一～五二頁。
2 中島岳志『思いがけず利他』（ミシマ社、二〇二一年）、二四頁。
3 杉田俊介『マジョリティ男性にとってまっとうさとは何か――#MeTooに加われない男たち』一章注25参照、七九頁。
4 山田太一「解説」、『こんな夜更けにバナナかよ』前掲、五五七頁。
5 チャールズ・テイラー『世俗の時代』（下）千葉眞監訳、石川涼子、梅川佳子、高田宏史、坪光生雄訳（名古屋大学出版会、二〇二〇年）、八二三頁。
6 宮崎智之『平熱のまま、この世界に熱狂したい――「弱さ」を受け入れる日常革命』（幻冬舎、二〇二〇年）、二〇九頁。

7　北村紗衣「ケアと癒やしの壮絶ノンストップアクション〜『マッドマックス　怒りのデス・ロード』」https://saebou.hatenablog.com/entry/20150625/p1

8　柳田国男「序」、『妹の力（新版）』（角川ソフィア文庫、二〇一三年）、五頁。

9　たとえば、フロイトは女性は男性より「正義感に欠け」ると考えた（ギリガン『もう一つの声で』序章注2参照、六四頁）。

10　ウィリアム・ワーズワス「あたしたちは七人」、ワーズワス、コールリッジ『抒情歌謡集』宮下忠二訳（大修館書店、一九八四年）、六〇頁。

11　ティモシー・モートン『自然なきエコロジー——来たるべき環境哲学に向けて』篠原雅武訳（以文社、二〇一八年）、二二五頁。

12　メアリ・シェリー『最後のひとり』森道子、島津展子、新野緑訳（英宝社、二〇〇七年）、五一二〜五一三頁。

13　ウィリアム・ワーズワス「眠りがわたしの魂を封じたので」、『抒情歌謡集』前掲、一四五頁。

14　ヴァージニア・スペンサー・カー『孤独な狩人——カーソン・マッカラーズ伝』浅井明美訳（国書刊行会、一九九八年）、一一七頁。

15　アンナ・ツィマ『シブヤで目覚めて』阿部賢一、須藤輝彦訳（河出書房新社、二〇二一年）。

16　ヴァージニア・ウルフ『三ギニー——戦争と女性』出淵敬子訳（みすず書房、二〇〇六年）、一六二頁。

17　ヴァージニア・ウルフのアウトサイダー論については、拙論「ウルフと〝波〟——エゴイズムに抗する」（連載「ケアする惑星」『群像』二〇二一年九月号）を参照のこと。

18　ハン・ガン『少年が来る』井手俊作訳（クオン、二〇一六年）、二二二頁。

19　最終章でトンホの母親の視点からことの成り行きが語られることで、遺体安置所にとどまっていたトンホが戒厳軍の攻撃のなかで死んでいたことが明らかになる。また、第二章でもチョンデが「君」と呼ぶのがおそらくトンホであることも推測でき、その語りの最後で「君」の死が告げられている（前掲、八〇頁）。

20　きむ　ふな「訳者あとがき」、ハン・ガン『菜食主義者』きむ　ふな訳（クオン、二〇一一年）、二九九頁。

21　ハン・ガン『菜食主義者』きむ・ふな訳、前掲、九頁。

22　木谷厳「菜食主義と反ガストロノミー——シェリーの『オイディプス・ティラヌス』を中心に」、『日本シェリー研究センター年報』第二一号（二〇一三年四月）、一五～一七頁。

23　今村夏子「木になった亜沙」、『木になった亜沙』（文藝春秋、二〇二〇年）、一六頁。

24　グアダルーペ・ネッテル「ゴミ箱の中の戦争」、『赤い魚の夫婦』宇野和美訳（エディマン、二〇二一年）、五八頁。

25　エリアス・カネッティ『もう一つの審判——カフカの「フェリーツェへの手紙」』小松太郎、竹内豊治訳（法政大学出版局、一九七一年）。

26　頭木弘樹『カフカはなぜ自殺しなかったのか？——弱いからこそわかること』（春秋社、二〇一六年）、三二一～三三三頁。

27　カフカ「断食芸人」、『変身・断食芸人（改版）』山下肇、山下萬里訳（岩波文庫、二〇〇四年）、一二五頁。

第三章　ＳＦ的想像力が生み出すサバイバルの物語

28　高山羽根子『首里の馬』（新潮社、二〇二〇年）、一一五頁。

1　夏川草介『臨床の砦』（小学館、二〇二一年）、八頁。
2　「『これは本当に医療なのか』作家で医師の夏川草介さんが見た新型コロナ第3波の現場　小説『臨床の砦』緊急出版」（東京新聞、二〇二一年四月三十日）https://www.tokyo-np.co.jp/article/101338
3　Jonathan Charteris-Black, *Metaphors of Coronavirus: Invisible Enemy or Zombie Apocalypse?* (London: Palgrave Macmillan, 2021), p. 233.
4　二〇二一年から二二年にかけて、朝日新聞で、宮崎駿監督の漫画『風の谷のナウシカ』を知識人や作家が読み解き、コロナ禍の時代を生き抜く知恵を得ようという連載が組まれたのもその一例であろう。
5　実は腐海は世界を浄化させるための装置として人工的に作られたものであることが明らかになる。
6　E.M. Forster, The Machine Stops, in *Selected Stories* (Penguin Twentieth-Century Classics), eds. David Leavitt, Mark Mitchell, (Harmondsworth: Penguin books, 2001).
7　ダナ・ハラウェイ「サイボーグ宣言――二〇世紀後半の科学、技術、社会主義フェミニズム」、『猿と女とサイボーグ――自然の再発明（新装版）』高橋さきの訳（青土社、二〇一七年）、三二〇頁。
8　【コロナ禍で、働く主婦の在宅勤務に異変?!】「育児しながら働く人増える」の回答比率・・・2018年比マイナス11・8ポイント／一方、「家の中にいても仕事に束縛されてしまう」プラス13・9ポイント（しゅふＪＯＢ総研、二〇二〇年六月二十四日）https://www.bstylegroup.co.jp/news/shufu-job/news-20617/
9　ウェンディ・ブラウン『いかにして民主主義は失われていくのか』一章注19参照、一一七〜一一八頁。
10　小谷真理『ファンタジーの冒険』（ちくま新書、一九九八年）、一五二頁。
11　アイファ・オング『《アジア》、例外としての新自由主義――経済成長は、いかに統治と人々に突然変異をもたらすのか?』加藤敦典、新ヶ江章友、高原幸子訳（作品社、二〇一三年）。
12　ディラン・トマス『ディラン・トマス詩集　世界の詩63』松浦直巳訳（彌生書房、一九七二年）、九二頁。
13 巽孝之『現代SFのレトリック』(岩波書店、一九九二年)、一八頁。
14 ジェイムズ・ティプトリー・ジュニア「大きいけれども遊び好き」伊藤典夫訳、『S-Fマガジン』ジェイムズ・ティプトリー・ジュニア特集(一九八九年十二月号)、五五頁。
15 スタニスワフ・レム『ソラリス』沼野充義訳(ハヤカワ文庫SF2000、二〇一五年)、三一六頁。
16 磯野真穂『他者と生きる――リスク・病い・死をめぐる人類学』(集英社新書、二〇二二年)、一三頁。
17 アーシュラ・K・ル=グウィン『夜の言葉――ファンタジー・SF論』山田和子他訳(岩波現代文庫、二〇〇六年)、九二頁。
18 カトリーン・マルサル『アダム・スミスの夕食を作ったのは誰か?――これからの経済と女性の話』高橋璃子訳(河出書房新社、二〇二一年)、一七〇頁。
19 トクヴィル『アメリカにおけるデモクラシー』岩永健吉郎、松本礼二訳(研究社叢書、一九七二年)、九六頁。
20 当時のイギリスの法律では男性が財産を相続する権利を得ていた。
21 鷲田清一「所有について」(連載「二回:所有と固有」)、『群像』(二〇二〇年四月号)、四六八頁。
22 ダニエル・デフォー『ロビンソン・クルーソー』武田将明訳(河出文庫、二〇一一年)、八九頁。
23 佐藤嘉一「社会科学における『ロビンソン・クルーソー問題』――いわゆる『ロビンソン的人間類型』論をめぐって」、『立命館産業社会論集』第三七巻一号(二〇〇一年六月)、七六頁。佐藤は、留保つきで、「孤島でのロビンソン・クルーソーの生活は、社会科学者が人間の『合理的行動』を査定する際に不可欠となる『その他の条件が等しければ』の条件設定(思考実験)――自然科学の『実験』にも等しい――のために格好の材料を提供した」と述べている(八四頁)。
24 この小説は、両親の強い反対を押し切って家出したロビンソン・クルーソーが、トルコの海賊船に襲われたり、さまざまな逆境に遭い、一度はブラジルで農園経営に成功するも、再び航海に乗り出し、その途中で大嵐に見舞われて無人島に一人漂着する物語である。デフォーは「土地の投機やじゃこうネコの飼育――この糞便が貴重な香料の材料となる――等」商売で危ない賭けをした。また、英仏戦争で彼の「海運途上の積み荷が損失を蒙り」、それが原因で一六九二年には、多額の借金をして破産した（佐藤、七三頁）。このような現実世界における失敗も、彼がフィクションでユートピア的な世界を構築しようとした契機になっていたのかもしれない。

25　鷲田清一「所有と固有――propriétéという概念をめぐって」、大庭健、鷲田清一編『所有のエチカ』（ナカニシヤ出版、二〇〇〇年）、三〇頁。

26　ただし、この点については更なる議論が必要であろう。「所有」されるものはたいてい交換可能であることを踏まえると、ロビンソン・クルーソーは従者フライデーの固有性をある程度認めているため、必ずしも「交換可能」な存在として見ているわけではなく、両義性を孕む。

27　一〇九頁5行目から一一三頁2行目までは、拙稿「所有論をケアの視点から考える――『ロビンソン・クルーソー』から『わたしを離さないで』まで」（『現代思想』二〇二三年五月臨時増刊号）の一部を改変

28　アトウッド自身がコンサルティング・プロデューサーとして参加しているテレビドラマシリーズの『ハンドメイズ・テイル／侍女の物語』も、二〇一七年四月のHulu配信開始とともに社会現象となっている。ドラマの内容から続編のインスピレーションを受けたことも想像に難くない。

29　"Bill Moyers on Faith & Reason—Margaret Atwood" (PBS) https://billmoyers.com/content/margaret-atwood-martin-amis-on-faith-reason/

30　Mervyn Rothstein, "No Balm in Gilead for Margaret Atwood", *The New York Times*, February 17, 1986. https://www.nytimes.com/1986/02/17/books/no-balm-in-gilead-for-margaret-atwood.html

31 渡辺由佳里「30年以上の時を経ていま明かされる、ディストピアSF『侍女の物語』の謎」（ニューズウィーク日本版、二〇一九年十月二十四日）https://www.newsweekjapan.jp/watanabe/2019/10/30sf.php

32 Thomas Hutchinson, *The History of the Province of Massachusets-Bay: From the Charter of King William and Queen Mary, in 1691, Until the Year 1750*, Vol. 2, (Boston: New England, Thomas & John Fleet, 1828), p. 18.

33 伊藤節編著『マーガレット・アトウッド（現代作家ガイド5）』（彩流社、二〇〇八年）、七六頁。

34 マーガレット・アトウッド『侍女の物語』斎藤英治訳（ハヤカワepi文庫、二〇〇一年）、五四九頁。

35 Rebecca Mead, "Margaret Atwood, the Prophet of Dystopia," *The New Yorker*, April 17, 2017. https://www.newyorker.com/magazine/2017/04/17/margaret-atwood-the-prophet-of-dystopia

36 加藤めぐみ「オーウェルからアトウッドへ――『フェミニスト・ディストピア』が描く未来への希望」、秦邦生編『ジョージ・オーウェル「一九八四年」を読む――ディストピアからポスト・トゥルースまで』（水声文庫、二〇二一年）、二七九頁。

37 マーガレット・アトウッド『誓願』鴻巣友季子訳（早川書房、二〇二〇年）、一二二頁。

38 Ken Derry, "Blood on the Wall: Christianity, Colonialism, and Mimetic Conflict in Margret Atwood's 'Cat's Eye'", *Religion & Literature*, Vol. 48, No. 3 (Autumn 2016), p. 92.

39 「NYビル屋上から赤い服の『侍女』が身投げしそう?　米ツイッターで拡散」（AFPBBニュース、二〇一九年五月二十三日）https://www.afpbb.com/articles/-/3226417

第四章 〈有害な男らしさ《トキシック・マスキュリニティ》〉に抗する文学を読む

1 トーマス・サヴェージ『パワー・オブ・ザ・ドッグ』波多野理彩子訳（角川文庫、二〇二一年）、三一九頁。

2 大江健三郎「万延元年のフットボール」、『大江健三郎全小説7』（講談社、二〇一八年）、一九五頁。

3 竹村和子「『いまを生きる』〝ポスト〟フェミニズム理論」、竹村和子編『思想読本10 〝ポスト〟フェミニズム』（作品社、二〇〇三年）、一〇九頁。

4 小川公代『ケアの倫理とエンパワメント』（講談社、二〇二一年）、四八頁。

5 Sean O'Hagan, "Jane Campion: 'Film-making set me free... it was as if I had found myself'". https://amp.theguardian.com/film/2021/nov/07/jane-campion-the-power-of-the-dog-interview

6 フェミニズムの研究者たちは、「有害な男らしさ」という言葉を、男性性を誇示する右派の政治という枠組みとして用いてきている。Carol Harrington, "What is 'Toxic Masculinity' and Why Does it Matter?", *Men and Masculinities*, Vol. 24, No. 2 (2020), p. 349.

7 原作では、「自分でやってみたくて――あなたみたいに編めるように。ぼくの皮を使ってもらえませんか？」（サヴェージ、三二五頁）となっている。

8 西井開『「非モテ」からはじめる男性学』（集英社新書、二〇二一年）、一七〇頁。

9 上野千鶴子『〈おんな〉の思想――私たちは、あなたを忘れない』（集英社文庫、二〇一六年）、二二〜二二三頁。

10 シルヴィア・フェデリーチ『キャリバンと魔女――資本主義に抗する女性の身体』小田原琳、後藤あゆみ訳（以文社、二〇一七年）、一五二頁。

11 シュラミス・ファイアーストーンはアメリカの急進的女性解放運動の創始者の一人で、代表作に、『性の弁証法――女性解放革命の場合』林弘子訳（評論社、一九七二年）がある。

12　三牧聖子によるコメント「原告名『ジェーン・ロー』の波乱の人生　中絶の権利めぐり揺れた思い」（朝日新聞デジタル、二〇二二年六月十九日）
https://digital.asahi.com/articles/ASQ6K5DMXQ6FUHBI00D.html

13　川上未映子『乳と卵』（文春文庫、二〇一〇年）、一二一～一二三頁。

14　ベル・フックス『ベル・フックスの「フェミニズム理論」――周辺から中心へ』野崎佐和、毛塚翠訳（あけび書房、二〇一七年）、二五頁。

15　森崎和江『からゆきさん――異国に売られた少女たち』（朝日文庫、二〇一六年）。

16　森崎和江『まっくら――女坑夫からの聞き書き』（岩波文庫、二〇二一年）。

17　森崎和江『第三の性――はるかなるエロス』（三一新書、一九六五年）、六八頁。

18　岸本佐知子「訳者あとがき」、ルシア・ベルリン『掃除婦のための手引き書――ルシア・ベルリン作品集』（講談社文庫、二〇二二年）、三五九～三六〇頁。

19　ルシア・ベルリン「掃除婦のための手引き書」、『掃除婦のための手引き書――ルシア・ベルリン作品集』前掲、五五頁。

20　多和田葉子「犬婿入り」、『犬婿入り』（講談社文庫、一九九八年）、九八頁。

21　トム・リゴールト「『中性』を求めて――多和田葉子のクィア・スタンス」、『立命館言語文化研究』第二八巻二号（二〇一六年十二月）、七六頁。

第五章　死者《ビラヴド》の魂に思いを馳せる――想像力のいつくしみ

1　トニ・モリスン『ビラヴド』吉田廸子訳（ハヤカワepi文庫、二〇〇九年）、三六九頁。

2　友田奈津子「『田舎の墓地にて詠める哀歌』の消された夜」、『英文學研究』支部統合号第八号（二〇一六年）、一三八頁。
3 吉田廸子「訳者あとがき」、『ビラヴド』前掲、五五六頁。
4 モリスンの『ビラヴド』がグレイの哀歌に着想を得ていると指摘した批評家はこれまでにいないが、言葉を尽くして名もなき人々の死を悼む詩がモリスンに霊感を与えていたとしても不思議ではないだろう。実際、スタンリー・キューブリック監督の『突撃』（一九五七年）の原題である「栄光の道」（Paths of Glory）も「墓畔の哀歌」からの一節である。福原麟太郎訳では「田舎の墓地で詠んだ挽歌」と題されているが、本稿では、「墓畔の哀歌」と言及する。トマス・グレイ『墓畔の哀歌』福原麟太郎訳（岩波文庫、一九五八年）。
5 木村敏『関係としての自己』（みすず書房、二〇〇五年）、六八頁。
6 荒このみの分析によれば、「ビラヴィドの登場は、水の中からヴィーナスが誕生するように、『ちゃんと洋服を着た女が水のなかから歩いて出てきた』という描写から始まっている。（中略）大人の身体を持ちながら、これまで生きていたのか、『人生』があったのかどうか曖昧である」。荒このみ「ビラヴィドはなぜ黒いドレスで現れたか」、吉田廸子編著『ビラヴィド』（ミネルヴァ書房、二〇〇七年）、一三六頁。
7 西田幾多郎「続思索と体験」、『続思索と体験 「続思索と体験」以後』（岩波文庫、一九八〇年）、三〇頁。
8 鷲田清一「所有と固有――propriétéという概念をめぐって」、三章注25参照、二二一頁。
9 ヴァレリー・スミス『トニ・モリスン――寓意と想像の文学』木内徹、西本あづさ、森あおい訳（彩流社、二〇一五年）、一六頁。
10 板橋勇仁「時ならざるものの倫理――V・ジャンケレヴィッチと西田幾多郎における死の思索」、『比較思想研究』第二八号（二〇〇一年）、七六頁。

11 平野啓一郎『ある男』（文藝春秋、二〇一八年）、二六四頁。
12 ヴァージニア・ウルフ「病気になるということ」片山亜紀訳（早川書房 Hayakawa Books & Magazines（β）二〇二〇年四月二十七日）https://www.hayakawabooks.com/n/n775c24379791
13 平野啓一郎「『空白を満たしなさい』著：平野啓一郎――現代を「幸福に生き、死ぬ」ということ」（講談社現代ビジネス、二〇一二年十二月二十五日）https://gendai.media/articles/-/34366?
14 平野啓一郎『空白を満たしなさい』（上）（講談社文庫、二〇一五年）、二二四頁。
15 平野啓一郎『私とは何か――「個人」から「分人」へ』（講談社現代新書、二〇一二年）、一五四頁。
16 渡辺京二「石牟礼道子の世界」、石牟礼道子『苦海浄土――わが水俣病（新装版）』（講談社文庫、二〇〇四年）、三八〇頁。
17 石牟礼道子『苦海浄土』前掲、一四五頁。
18 米本浩二『評伝　石牟礼道子――渚に立つひと』（新潮社、二〇一七年）、三二頁。
19 政府は一九六八年（昭和四十三年）九月二十六日、「水俣病は、メチル水銀化合物による中毒性の中枢神経系疾患であり、チッソ水俣工場のアセトアルデヒド製造工程で副生されたメチル水銀化合物が工場排水とともに排出され、環境を汚染し、魚介類にメチル水銀化合物が濃縮蓄積され、これらの魚介類を地域住民が多食することにより生じたものである」と、水俣病に関する公式見解を発表し、水俣病は、公害病と公式に認定された。
20 九平とさつきの父は代々漁師であったが、ふとした風邪がもとで死亡したと記載されている（同、二五頁）。
21 大江健三郎『ヒロシマ・ノート』（岩波新書、一九六五年）、五〇～五一頁。
22 ドリス・レッシング『よき隣人の日記』 邦訳のメインタイトルは『夕映えの道』 注24参照
23 この小説は労働者階級のモーディーと中流階級のジャンナの差異についてもかなり描きこまれている。

ジャンナは、ふとした瞬間、自分のそんな華やかな世界は、帽子職人として、ときに掃除婦としてなんとか生計を立てて生きてきた労働者階級のモーディーには「手が届かない」とも感じている。ジャンナが、たとえ精一杯モーディーに寄り添おうとも、認識を共有できないという隔たりもある。

24 ドリス・レッシング『夕映えの道――よき隣人の日記』篠田綾子訳（集英社、二〇〇三年）、三六頁。

25 比較的健康であった両親とは異なり、ウルフは横臥者の立場から世界を見つめていた。文学史家でもあった父レズリー・スティーヴンは「健康至上主義」的な倫理学、あるいは強者志向であった。また、母ジュリア・スティーヴンが病気がちだった祖母の介護を行っていたことも比較的知られている。

口をつぐむこと、弱くあることについて――あとがきにかえて

1 ヴァージニア・ウルフ「過去のスケッチ」『存在の瞬間――回想記』J・シュルキンド編、出淵敬子他訳（みすず書房、一九八三年）、二〇四頁。

2 たとえば、代表作『灯台へ』では、ディナーが終わりに近づいてくると察知したラムジー夫人が「お開きの時間だわ。みんなお皿に残ったものをつつきまわしているだけ。ひとまず、主人の話にまわりがひとしきり笑うまで待つとしましょう」と自己中心的な夫や「まわりのひと」のニーズに応答している。ヴァージニア・ウルフ『灯台へ』鴻巣友季子訳、『世界文学全集Ⅱ－1　灯台へ／『サルガッソーの広い海』』（河出書房新社、二〇〇九年）、一四〇頁。

3 岡野八代「はじめに」、岡野八代、志田陽子、布施祐仁、三牧聖子、望月衣塑子『日本は本当に戦争に備えるのですか？』（大月書店、二〇二三年）、五頁。

カバー装画　agoera
装　　　幀　田中久子

初出誌　「小説トリッパー」２０２１年冬季号から２０２２年冬季号まで連載。
書籍化にあたって、加筆訂正しました。

小川公代（おがわ　きみよ）

一九七二年和歌山県生まれ。上智大学外国語学部教授。ケンブリッジ大学政治社会学部卒業。グラスゴー大学博士課程修了（Ph.D）。専門は、ロマン主義文学、および医学史。著書に『ケアの倫理とエンパワメント』『ケアする惑星』（ともに講談社）、『文学とアダプテーション――ヨーロッパの文化的変容』『文学とアダプテーションⅡ――ヨーロッパの古典を読む』（ともに共編著、春風社）、『ジェイン・オースティン研究の今』（共著、彩流社）、最新刊に『感受性とジェンダー――〈共感〉の文化と近現代ヨーロッパ』（共著、水声社）、訳書に『エアスイミング』（シャーロット・ジョーンズ著、幻戯書房）、『肥満男子の身体表象』（共訳、サンダー・L・ギルマン著、法政大学出版局）などがある。

世《せ》界《かい》文《ぶん》学《がく》をケアで読《よ》み解《と》く

二〇二三年八月三〇日　第一刷発行

著　者　小《お》川《がわ》公《きみ》代《よ》

発行者　宇都宮健太朗
発行所　朝日新聞出版
〒一〇四-八〇一一　東京都中央区築地五-三-二
電話　〇三-五五四一-八八三二（編集）
〇三-五五四〇-七七九三（販売）

印刷製本　株式会社　加藤文明社

ISBN978-4-02-251929-0
定価はカバーに表示してあります。

落丁・乱丁の場合は弊社業務部（電話〇三-五五四〇-七八〇〇）へご連絡ください。
送料弊社負担にてお取り替えいたします。